不登校からの進路選択

～自分の歩幅で社会とつながる～

親子支援ネットワーク♪あんだんて♪

福本 早穂

まえがき

親の思いから支援者へと続く道

２０１３年10月に拙著「不登校でも子は育つ～母親たち10年の証明～」が発行され、7年経ちました。この間に、不登校の子どもたちを取り巻く環境が変わってきているのを感じています。ＬＩＮＥ、インスタグラムといったＳＮＳの世界は、24時間子どもたちの日常に影響を及ぼすようになってきました。ゲームの世界も、かつてのＴＶゲームからネットゲームに変わり、チームでのゲームが増えてより依存性が高まることが親の大きな心配事になっています。学校関係では通信制高校やサポート校が増え、ＷＥＢ通信によるオンライン授業が普及しています。２０２０年のコロナ休校からオンライン授業を取り入れる学校も増え、大学では入学以来ほとんどキャンパスに行ったことがないという学生もいます。

このようにオンラインでの人間関係を経験することが多くなってきましたが、そのような関係性もそれまでに経験したリアルな人間関係が基盤になっています。小さい頃から育まれた親・きょうだい・祖父母とどんな心の交流があり、どんなコミュニケーションをしているか、子どもがネット社会や学校で傷ついたとき、安全で安心できる家＝（巣）に帰って元気を取り戻せるかどうかが重要です。そして、ソーシャルディスタンスが求められ、人間関係が希薄になるコロナ禍の今は、より一層家族の中でエネルギーを回復する役目が大きくなっています。

しかし、親自身も先行きの不安な社会の中で生活しているので、ゆっくり子どもと向き合うことが難しくなっています。そんなとき、何でも話せて受け入れられる安心な場があれば親が支えられます。親が支えられると、子どもや家族を支えることができます。それは18年間、親子支援ネットワーク♪あんだんて♪の親の会「ゆうスペース」や、個別カウンセリング「こころのそえぎ」の場で多くの親御さんと関わらせていただいて強く実感していることなのです。

親の会や個別カウンセリングには、多くの悩める親御さんたちが来てくださいます。学校に行けなくなるほどエネルギーを失ってしまった子どもたちが心身をゆっくり休めてエネルギーを回復し、やがて自ら次のステップに歩みだしていくという成長過程を一緒に見守ってきました。

当事者の親として

ご相談にみえる親御さんにとって、かけがえのない我が子の不登校は初めての経験です。うろたえ混乱し、どうしてあげたらいいのか、どうすればまた元気な姿に戻るのかと悩み、子どもを叱ったり励ましたり、先生に相談したり、さらには勇気を出してカウンセリングに行ったりします。母親は子どもと関わる時間が長いだけに、子育てを振り返り、何がいけなかったのかと自分を責めて落ち込んでしまいます。

私自身も何とかして子どもを学校に向かわせようと、学校に相談に行ったり、色々な働きかけをしていました。しかし、やればやるほど子どもが身体症状を出してエネルギーを失っていくので、どうしてよいかわからなくなってしまいました。何か問題が生じたときには、努力すれば解決した経験しかなかったのに、努力すればするほどかえって事態を悪くしていくのですから、このときほど無力を感じたことはなかったのです。

20年以上前のことですので学校から相談先を紹介されることもなく、PCも一般には普及していない時代ですから、ネット情報もありません。教師をしている友人に相談しても、不登校関連の本を読んでも、自分を責められているようで悩みが深くなるばかりでした。一人で毎日自分の子育てを振り返り、ある日は「あのとき甘やかしてしまったのか？」と思い、またある時は「厳しすぎたのかもしれない」と反省したり、昔読んだ育児書を反芻してみたり、何が何やら訳もわからず混乱して悩んでいました。

そんなある日、ふと気がついたのです。「悩んで暗い気持ちで過ごしても一日。楽しく明るい気持ちで過ごしても一日。同じ一日を過ごすなら、私は不登校のこの子と笑って過ごしていこう」と。そして、「将来この子にどんな人生が待っているかわからないけれど、楽しく暮らした思い出があれば、それを心の糧にして生きていけるんじゃないか」と思ったのです。

そんなふうにふっ切れたのは、ある友人が否定も安易な慰めもせず、私の嘆きをただ「うん、うん」と聴き続けてくれたからでした。また、私が元来持っている楽天的な性格によるところも大きかったと思います。

我が子の経験を活かして

こうした体験も年月を経て風化しがちですが、悩みの渦中にいらっしゃる親御さんの話をお聴きしていると、体験は違っていても親の思いは共通しているので、そんな時もあったなと胸の痛みを感じることもしばしばです。しかし、自分の経験をそのまま当てはめると、相手の立場や事情を理解しないでものを言ってしまう危険性があるので、どんな事情や背景があってその状況が起きているのかを注意深く聞きながら、親御さんの苦しみを感じ取っていくように心がけています。そのため、個別カウンセリングでも、♪あんだんて♪の親の会「ゆうスペース」でも、「出来事は一人ひとり違うけれど、つらい思いは同じ」という寄り添いの姿勢を大事にしています。

親の会「ゆうスペース」には、完全に行けなくなった時期から外に動き出せるくらい元気を回復してきた時期、子どもが選んだ学校に行き出した時期まで、色々な状態の親御さんが参加されます。不登校初期のすっかりエネルギーをなくした子どもを前に途方に暮れている親御さんは、回復していった子どもの話を聞くと、先の見通しを持つことができて安心されます。先を行く親御さんは不登校初期の親御さんの話を聞いて我が子の状態を振り返り、エネルギーを回復して来ていることを実感するというふうに、親同士が互いに影響し合って子どもを見守る余裕が出てきています。

支援者としての学び

筆者はこのような親の会でさまざまな話をお聴きするうちに、不登校の子どもにとって家庭や学校でどのようなサポートが必要なのかがわかって来ました。また、大学院で学んだ臨床心理学の理論や知識は、経験から得た知恵や気づきを裏付けるものになりました。

この本では、中学から高校、高校から専門学校や大学と年数で区切られた学校の時間軸ではなく、一人ひとりの人生という時間軸に合った過ごし方や環境が本来のエネルギーを引き出すということを知ってもらいたいと思い、進路のページに多くを費やしました。今、学校に行けなくてつらい毎日を送っている子どもや保護者の皆さんには、どうかつまずいたことを否定しないで「本来の自分を発見する機会」と捉えてほしいと思います。そしてその長い成長過程を、この本が少しでも支えになり一緒に伴走できたらと願っています。

親子支援ネットワーク♪あんだんて♪代表
臨床心理士・公認心理師　福本早穂

目次

第2章 不登校の子どもに親ができること

第3章　不登校からの進路の選び方

第4章 不登校を経験した若者たちの進路

第5章 今だから言えること

第1章

不登校からの回復過程

第1章　不登校からの回復過程

回復過程を知ってください

不登校の子どもに対して「見守る」という言葉をよく使われますね。「登校刺激をしてはいけない、見守らなければ」「いや、だまって見守るだけではだめ。なんらかのアクションを起こさないと」どちらが正しいのでしょう？

毎日家にいる子どもを見ている親は、この両方の思いの間で絶えず揺れて悩んだりしています。「このまま見守っていていいのでしょうか？」という親御さんの不安を耳にすることもしばしば。これは、どちらも正しくて、どちらもまちがっています。どういうことかと言いますと、不登校の子どもの回復過程を理解し、その時期の子どもの状態に合った対応が必要なのです。ゆっくり休ませて「見守る」ことが必要な時期もあれば、「適度な刺激」が必要になってくる時期もあるということです。

不登校を経験した子が成長する過程で進路を決めるとき、回復過程に合ったサポートが必要です。ここでは不登校になった子どもがどのようなプロセスを経て、エネルギーを充電し自ら動いていけるようになるか、18年間さまざまなご相談を受けて見えてきたその回復のプロセスをお伝えしたいと思います。

不登校の回復過程

「渋滞期」←「葛藤期」←「安定期」←「始動期」←「活動期」

ただし、この回復のプロセスはマニュアルのように子どもの回復度を測るものではありません。早期の学校復帰を目指しての指標のような使い方は、筆者の本意ではありません。子どものエネルギーがどの程度回復してきているか、子どもの状態を理解し、本人が必要とする見守りやサポートをするための一助にしていただきたいと思います。

「渋滞期」――行くと休むのくり返し――

「渋滞期」には、

●朝起きられなくなる
●朝の支度に時間がかかる
●玄関に立ちすくむ
●吐き気がして食べられなくなる
●腹痛、頭痛、発熱など身体症状が出る

といった状態が多くの場合見られます。

子どもは学校へ行けなくなるまでにさまざまなストレスがかかっています。どんなことがストレッサーになるかと言いますと、

●騒音、大きな音が苦手
(聴覚が敏感だったり、繊細な感性の持ち主なのでしょう。例えば、ほかの生徒を叱責する先生の声に怯えて行けなくなる例がしばしばあります)
●友だちとの人間関係

（クラスの中で浮く／部活でのトラブル／いじめ／グループから外される／いじめと言えないほどだが、毎日くり返される傷つきなど）

●教師の対応

（いじめ、子ども同士のトラブルなどの対応に子どもが矛盾や理不尽を感じる。あるいは誤解を受けたと感じるとき）

●学習のつまずき

（多量の宿題、速いスピードの授業）

●発達の偏り

（感覚過敏、手作業が苦手、学習障害、集団が苦手など）

●ストレスによる身体症状

（自律神経失調症、過敏性腸症候群、きつい生理痛、そのほかの身体症状）

●通学時間が長くて疲れる

というような例をしばしば聞きます。

これまでの相談のなかでは、いくつかが複層している場合もあります。学校でのストレスが家庭で解消できない状況が続き、身体症状が出てきて行けなくなることが多いです。

不登校の状態とは？

経験者の言葉を借りると、「ガス欠の車みたい。いくらアクセルを踏み込んでも動かなくなってしまった」「動けなくなって、しばらく休んでいるとガソリンが少し溜まってくる。そして、学校に行くとすぐにガソリンがなくなってしまう」。こんなふうに、ガス欠になったら家で休み、ガソリンが少し溜まれば登校するということを繰り返しているうちに、とうとう完全にガソリンがなくなってしまいます。ガソリンのなくなった車のアクセルをふかし続けたら、どうなってしまうでしょう。車そのものが壊れてしまうと思います。休むことで、車は壊れないでいるのです。

今日は休むか休まないかという緊張状態の日々は、休息を必要としている子どものもの心身の状態と、子ども自身の「行きたい」「行かなければ」という思いとの葛藤があります。さらに、親の「行ってほしい」という思いと動けなくなった子どもとの葛藤が繰り返されています。それらがせめぎ合い続けた結果、エネルギーが枯渇してしまい、とうとう全く行けなくなってしまいます。

「葛藤期」――完全不登校になったとき――

子どもが苦しんでいる姿を毎日目の当たりにしている親が、とうとう諦めて「そんなにしんどいなら行かなくてもいいよ」というときがやって来ます。「そう言ってもらって、ほっとした」と不登校の経験者は異口同音に言っています。

そして、毎日学校を休むのですが、心の中はちっとも休めていないのです。子どもはみんなが行っている学校に行けない自分を情けなく、みじめに思っています。罪悪感、自己否定、漠然とした不安、焦り、そんな気持ちでいっぱいで心の中は葛藤状態です。完全に行けなくなるまでに親子の衝突が繰り返されていると、自室に閉じこもって家族と顔を合わせなくなることもあります。

葛藤期の子どもの状態は、

- ご飯を食べなくなった
- 家族と一緒に食事をしなくなった
- 眠れない（またはずっと眠り続ける）
- 起き上がれない
- 頭を上げられない
- 何気なく言った言葉に反応して怒る
- 家族（きょうだい）に八つ当たりする
- 死にたい、消えたい、と言う
- 人が怖い、外に出られない
- 母親に身体接触を求める（幼児返り）

などの状態がいくつか見られ、生活すること自体が困難なほどエネルギーを消耗したり、精神的に不安定になります。

「安定期」――心身ともに休むとき――

完全不登校になり学校を休んでいるけれど心の中は休めていないという「葛藤状態」から、徐々に家にいることが常態化し、親も子どもが家にいることを受け入れられるようになってきます。

子どもの心身が安定してきて、

- 夜寝られるようになり、ご飯が食べられるようになった
- 身体症状が出なくなった
- ときどき笑顔も見られるようになった
- 学校以外のことは普通に親としゃべれるようになった

といったことが見られると、「安定期」に入ってきた状態です。具体的な変化を挙げると、例えば「葛藤期」には母親が作った食事を食べなかった子どもが、「安定期」にはリビングで家族と一緒に食べるようになったりします。「葛藤期」には弁当を作ってパートに出ても弁当は学校で食べるものと思っているのか、そのまま手を付けないで置いてあったりしますが、子どもの気持ちが安定してくると食べていたりします。

家に居る自分を親に受け入れられていると感じると、弁当箱を洗っていたり、自分で適当に昼食を食べるようになる子どももいます。ほかにも親と一緒に買い物に行くようになったりします。このように親が不登校の子どもの回復過程を知って先の見通しが持てると、心配を一旦脇において子どもを見守っていけると思います。

不登校安定期に見られる3つの特徴

「安定期」から「始動期」にかけて、不登校の3大特徴が9割以上の思春期の子どもに見られます。(小学校低学年〜中学年にあまり見られないのは、まだ親と一緒に寝起きをしているからだと思います)

(1) 長時間の「ゲーム・ネット(SNS・動画)・TV・コミック」
(2)「昼夜逆転」の生活
(3)「生活習慣の乱れ」

この３大特徴について次に説明します。

（1）長時間の「ゲーム・ネット（SNS・動画）・TV・コミック」

スマホ・PCで一日中ゲームをしたり、動画を見ているという親御さんの嘆きはしばしば耳にします。不登校経験者に聞くところによると、「学校に行かなくなるともてあますほど自由な時間ができる。学校のことが気になるけれど勉強できるほどのエネルギーはない。一人でいると罪悪感や不安にかられ、悩んでばかり。外に出たら誰に見られるかわからない。取りあえず家で一人でできることといったら、TVや動画を見るかゲームをするしかない。それをしている間だけは悩みから解放される。一日中悩んでばかりいるより、そのほうが精神的な安定のためにはいいんじゃないでしょうか」と言っています。

（2）「昼夜逆転」の生活

渋滞期からだんだん朝起きづらくなり、完全に不登校になった当初の「葛藤期」には、学校へ行く時間が過ぎてから起き出すという日が増えてきます。昼夜逆転が常態化してくると、子どもの心は安定しています。

ではなぜ子どもは昼夜逆転になるのでしょうか。朝、起きていると父親が出勤準備をしていたり、きょうだいが登校の準備をしています。家の中だけでなく、周囲のざわめき、あわただしい空気感の中にいると、登校できない自分を意識せざるを得ません。当時を振り返って、「みんなが気ぜわしく動いていると、動けない自分を蹴とばされてる感じがした」という経験者がいました。無意識のうちにそのようなつらさを回避しているのでしょう。「安定期」に入ると、周囲の朝のざわめきが落ち着いた頃に起きてくるようになります。

一方、夜一人で布団の中で考えていると悩みが深まって眠れなくなってしまい、深夜に起きていて明け方就寝し昼頃起き出すということをくり返すこともあります。就寝時間と起床時間が一定せずだんだん時間がずれていき、昼夜逆転になったり朝起きるサイクルをくり返す人もいます。最近はチームでやるゲームやＳＮＳで相手とのやりとりが終了する時間によって、就寝時間が変わる場合もあります。

(3)「生活習慣の乱れ」

生活の乱れは次のように出てきます。

- 服を着替えない
- 風呂に入らない
- 歯磨きしない
- リビングで寝起きする
- 明りをつけたまま寝る
- 散らかす
- 片づけられない
- 掃除をしない（まれに強迫的にきれいずきになることも）
- 理容、美容院に行かない

経験者は「外に出ると、近所の人や学校の友だちに会うかもしれないので、出て行かなくなる。そんなふうに学校（社会）生活からリタイアしているので、着替える必要がないのだ」と言います。

「安定期」に入り、心の葛藤がやわらいで、やっと家で安定して休めるようになったので、生活習慣からも解放されて本当に心身を休める態勢に入ったとも言えます。

葛藤期にご飯を食べなくなるほど打ちひしがれた子どもや「死にたい」と訴える子どもを目の前で見ていた親は、ご飯を食べられるようになったり、ときどき笑顔も出てきて学校以外のことは一緒に話せるようになったのを見てほっとします。しかし、子どもがだんだん落ち着きを取り戻し笑顔も見られるようになると、生活習慣の乱れが気になってきます。「いつまでこんなことを許していいのだろうか。子育てをまちがってしまったんじゃないか。時にはちょっと叱ったほうがいいんだろうか。でも、また前のようにしんどくなってしまったらどうしよう…」と心配になります。

この時期に祖父母から「○○はどうしてる？」「いつまでこんな生活させておく

の？」と聞かれると、親自身にも先が見えないので、答えに窮します。先生やママ友にも「どうしてるの？」と聞かれると、これもどう答えてよいかためらってしまいます。「元気です」と言うと、なぜ学校に行かせないのかと思われるのではないかと心配になるのです。親自身は不登校を経験したことがないので、子どもへの対応に自信がなく、不安も大きく、気持ちが揺れるのは当然です。

エネルギーの充電と共に動き出す安定期後期

子どもが安定期にゆっくり心身を休めてエネルギーを充電すると、本人の興味・関心から行きたいところに行くために、会いたい人に会うために、お風呂に入ったり、朝早く起きて服を着替えたりするようになります。行きたい場所が学校だったり、会いたい人が友だちや先生だったら学校へ行けるのでしょうが、親や先生が期待するようにはなりません。不登校になるくらい本人にとってストレスフルな環境だった場所や人間関係には行きたくない（行けない）、会いたくない（会えない）というのは自然な気持ちだと思います（学校を意識することなく遊べる友だちなら会いたいと思えます）。子どもは安心して好きなこと・やりたいことができるとエネルギーを充電し、動き出すのです。

「ずっと昼夜逆転していた子どもが、ある朝早く起きておしゃれをして出て行った。後で聞いたらネットで好きなバンドのコンサートがあるのを知って、一人で会場へ行ったというので驚いた」というように親の思いがけないときに動くことがあります。

「始動期」――動き出したくなるとき――

昼夜逆転・生活習慣の乱れに親がすっかり慣れてきた頃、子どもは心身が安定しエネルギーが溜まってきています。エネルギーが溜まると、自然と動き出したくなるのか「ひま～」「退屈」「何かすることない？」などと呟くことが増えてきます。欲しいものを買うために、見たいものを見に行くために、身だしなみを整え、間に合う時間に起きて出ていきます。

「新しいゲームが欲しい」「楽器を習いたい」「英会話を習いたい」「ダンスを習いたい」など新しいことに興味を示したり、野球・サッカーなどスポーツ観戦や、好きなアイドルのLIVEや舞台を見に行くなど、外に関心が向いて動いていきます。同じ興味を持つファンの友だちができて、そこから人間関係が広がることもあります。

新しいことを始めたときはドタキャンもありますが、それを否定しないでチャレンジしようとした意欲を認めてあげると、再チャレンジしていきます。動きすぎて疲れたら、一度休んでまた動き出すというふうに、動いたり休んだりを繰り返しながら自分のペースがわかるようになります。

不登校は見えない学力を養う時期

不登校の間、全く学校的な勉強はしなかったという経験者は多いです。そのかわり、ゲーム、PCのプログラミング、アニメの描画、映画、読書、音楽、楽器演奏、英会話、ダンス、車のデザイン、電車の種類、路線図、時刻表、料理、お菓子作り、手芸、将棋、囲碁…など好きなこと・やりたいことを思う存分できる時間があるので、かなりの技量や知識を身につけることもあります。自分の興味・好奇心が広がり、驚くほど幅広い趣味を持つこともあって、話題に事欠かない人もいます。学校では、試験の点数や成績で「学力」が目に見えますが、家にいる間にこのような「見えない学力」が伸びています。

「安定期」にしていたことや知ったことから将来の目標を見つけたり、大学で学ぶ目的ができる人も多いです。目標があって、学校で学ぶ必要を感じると、それまで全く勉強をしなかった状態から乾いた土壌に水がしみこむように、学力を取り戻していきます。数年間「勉強」をしなかった経験者が「自分でもおもしろいほど、習ったことが頭に入ってきた」と言っています。

学力の問題に関して、不登校経験者の親や本人は次のように話しています。

小中とほとんど学校での授業は受けなかったが、本が好きで、絵本から始まり、小説、新聞、マンガ、チラシに至るまで、活字は何でもよく読んでいた。そのため、高校受験を意識して勉強を始めたとき、教科書を読んで、理解する力は身についていたと思う。

毎日ゲーム三昧だったが、ゲームの攻略本を読んだりわからない漢字や言葉をネットで調べたりして、難しい字も覚えていた。ゲームの画面の字を読むので、速く理解して対応する癖がついたようだ。読解力は、英語でも数学やほかの学科でも活かせると思う。

小・中学時代に不登校だった三人の子どもたちに聞いてみた。高校へ行かずに高卒認定予備校に行った子どもは、中学時代全く数学がわからなかったけれど、予備校では先生の教え方が上手で、「こんなにわかりやすいものをどうしてあんな難しく教えてたんだろう」と思ったそうだ。全日制高校に行った子どもは、学力の低い生徒が多かったのか、「中学の復習みたいな内容だったので楽だった」と言う。通信制高校に行った子どもは、「レポートはテキストを読めば書けるし、試験はテキストを覚えたら書ける。わからないときは、先生に聞けば教えてくれるから何も困ることはなかった」そうだ。

学校の勉強で学ぶことが知識として身についていなくても将来まで影響することは全くなく、むしろ一旦学校教育から離れたことで、本人の中に自ら学ぶという意識が身についたような気がする。

勉強は決して「やらされる」ものではなく「興味があるからやる」もの。そのため、一旦始めると集中力も継続するし吸収も早い。「必要な時に必要なことを学ぶ」彼女にとって、シンプルで効率のよい勉強法だったのだろう。学校で全く勉強していない学科もあるが、企業人となった今、特に不都合は感じていないようだ。

自分が必要だと思う勉強は、仕事でもそれ以外でも続けているので、学校の勉強を知識として習得するという程度のことはいつでもできること。重要なのは、自ら必要なことを学ぼうとする力やその意欲のほうではないかと思う。

振り返ってみると、子どもたちは目標や目的を達成するために、自分が必要と思う分だけ勉強しています。エネルギーが溜まると、やりたいことの中から目標やモチベーションが出てきます。自分からやろうと思うと勉強に集中できるようになり、身につくのです。

このように「安定期～始動期」の子どもは不登校の回復過程を経て、試験の点数や成績では測ることのできない学力を育んでいる時期だと思ってください。

第2章

不登校の子どもに親ができること

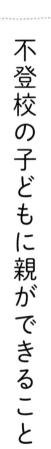

不登校の子どもに親ができること

完全に不登校になった「葛藤期」は、本人も苦しいですが、親も心配と焦りを抱えて不安でいっぱいになっています。やがて子どもが動けなくなるほどエネルギーが低下していた状態から、ご飯を食べたり、学校以外の日常会話ができるようになると、親も嬉しく思います。

その一方で、家で好きなことをしている姿を毎日見ていると「この生活がずっと続くのだろうか？」「ひきこもりになってしまうのではないか」という心配も出てきます。

不登校の経験が、子ども自身が持っていた本来の興味・関心を見つける機会になるとしても、それを支える親は子ども以上に苦しいかもしれません。特に初めて不登校の子どもを持つ親にとっては、わからないことが多いでしょう。

不登校の子どもを見守るために、親はそれぞれの回復のプロセスでどのような対応が望ましいのでしょうか。不登校の子どもの回復過程を理解し、その時期の状態に合わせたサポートをしていただきたいと思います。

休むことを理解する

登校できるかできないかで悩む子どもは、心のエネルギーを消耗しています。休みを必要としながらも、「行かなければ」という思いと親の「行ってほしい」という間で休みを挟みながらなんとか学校に行っている状態です。

母親は行こうとしても体が動かなくて苦しんでいる子どもを目の前に見ているのですが、父親は子どもより早く出勤していることが多く、そんな状態の我が子を見ていません。夜帰宅する頃には、子どもは元気になってゲームをしたりしています。学校のない土日も子どもは元気になっているので、母親が甘やかすので子どもが怠けていると思うのも無理はありません。

しかし、全く学校へ行けなくなった完全不登校のときというのは、「行かなければいけない」という思いと過剰にストレスをため込んで「行きたくない」という思いの間で長い間悩み、それが限界を超えてしまっている状態ですので、休むことを認めてあげてください。

苦悩を理解してくれる人を見つける

親の方も今は休ませないといけないとわかっていても、今まで家にいなかった子どもが毎日いるのですから、不安な気持ちがつきまといます。料理をしていても、洗濯をしていても、自転車に乗っているときや入浴中に、一人になると涙がこぼれてくるというお母さんの話は珍しくありません。

母親は、ふだんあまり子どもと関わらない父親と意見が合わず、夫婦の葛藤がありますす（最近は、心の問題に関心のある人が増えてきて、子どもの不登校に理解ある父親も増えてきています）。また、思春期の子は「父親にわかってもらえていない」と感じると、父親と顔を合わせなくなったり、口をきかなくなったりします。子どもと過ごす時間はあまりなくても、父親の影響は意外と大きいのです。子どものしんどさに理解がなく、ずっと厳しい態度や言葉を投げかけていると、リストカットなど2次的症状が現れることもしばしばです。厳しい父親の言動によって母親が不安定になり、家の空気が重苦しくなるからではないかと思います。

ほかにも夫の両親、親戚、自分の親やきょうだいとの葛藤があり、さらに担任の先生に不登校の理解がないと、学校と子どもとの板挟みになるつらさもあります。今まで付き合っていたママ友やご近所との付き合いも、悩みの種になったりします。職場でも言えなくて、学校への連絡や家にいる子どもから電話がある時、気をつかいます。

なにしろ母親も子どもの不登校は初めての経験なので、不安でいっぱいになっています。自分の不安や焦りを抱えたまま四方八方に気をつかい、母親は疲れ果ててしまいます。そんなときできるだけ早く信頼できる相談先を見付けられるといいのですが、相談に行って子育てを責められ、傷ついて帰ってくることもあります。そうなると、次の1歩がなかなか踏み出せず一人で抱え込んでしまいがちです。

母親が子どもを理解し、受容しても、母親を責める人が身近にいてつらい気持ちで過ごしていると、その暗い表情の母親を見て、子どもは自分のせいでお母さんを苦しめていると思い、罪悪感を感じるのでなかなか元気になっていきません。そして、子どもがちっともよくならないので、また母親が責められるという負のスパイラルに陥っている場合もあります。

そのような状態のときに、お母さんが元気を取り戻すには3つの要件があります。

（1）お母さんのつらさや苦悩を理解し、受け入れて聞いてくれる人がいること。
（2）我が子といえども、不登校は初めての経験なので、子どもが理解できない行動をしたり、原因のわからない症状が出たりします。そのわけを理解できるように通訳してくれる人がいること。
（3）その時々に必要な情報が得られること。

（1）と（2）は多くの不登校の子どもの回復過程、成長過程を見てきた支援者や、経験者に出会うことだと思います。

そして（3）は、例えば医療にかかりたいとき不登校に理解のある医師とどこに行けば会えるのか、あるいは進路の情報などです。学力がなく、さらに毎日通えるかどうかわからないときに進路を決めなければならないことがあります。

そんなときに、

●毎日通わなくてもいい
●今の学力で行ける高校がある

と知るだけで、出口のないトンネルにいるところに光が差し込むような希望があると思うのです。

親自身が子どもの頃、自分の親が厳しくて甘えられなかったり、親に相談できなかったりして一人でがんばってきたという思いが強いと、学校に行けない我が子を受け入れるにはかなり時間と努力が要ります。教育相談やカウンセリングに行き、子どもの状態を理解し、家でゆっくり休養させてあげないといけないとわかっても、気持ちはなかなか受け入れられません。子育ても仕事もがんばってきた自分を否定して、落ち込むようになるお母さんも多いです。

そういうお母さんでも相談先につながって継続していると、少しずつお母さんに余裕が出てきて、子どもが回復していきます。そんな子どもの変化を見て、周囲の目も穏やかになっていきます。

「母親一人の子育て（孤育て）は人類始まって以来のできごと」。複数の小児科医の主催するシンポジウムで聞いた言葉です。人間は元来集団で子どもを育ててきたのですね。

子どもの不登校は家族の危機でもありますが、そんなときこそ、お互いを思いやってきずなを深めるときです。どんなに立派な地位のある人や知識のある人でも、初めての経験ですからわからないことがいっぱいあると思います。

特に初めて不登校の子どもを持つ親御さんには回復過程の状態がどんなものかわからないことが多いです。回復過程を知るためには、臨床経験や知識のある専門家（のような人）が必要です。

相談できる場所を例に挙げると、

- スクールカウンセラー
- 保健室の先生
- 行政の教育相談

そのほかには

●民間のカウンセラー
●親の会

などがあります。

ただし、安易にこれまでの子育てを批判したり、親を責める相談先は本当の解決になりません。不登校の子どもを否定的に見ないで、その子のよいところ、強みも一緒に見ていける人、そして多くの不登校の子どもの成長を見てきた人に相談してください。

会話を通して親子関係を再構築

学校で何かが苦しくなって家に避難してきた子どもは、安心していられる家庭の空気の中でこそ、エネルギーを回復していくのです。

親が１日でも行ってほしいと思っているうちは、子どもは無理して学校へ行き、少し溜まったエネルギーを使い果たして家で休まないと動けない状態です。逆に親の方がゆっくり休んでもいいと思っても、子ども自身が罪悪感に苛まれて、しんどくなってしまっていることもよくあることです。これは不登校の自分を受け入れられるようになるまで、子どもが自分で乗り越えていかなければならない道程なのだと思います。毎日会話もせずゲーム・動画・スマホばかりしていても、心の中は葛藤や不安を乗り越えようとがんばっています。せめて家族はそのがんばりを認めて、見守ってあげてください。

「葛藤期」は、それまでのがんばりにも関わらず完全に行けなくなってしまったので、徒労感や無力感で親子ともに疲れ果て、会話もできない状態をよく聞きます。それぞれに内面で葛藤していて、子どもは自室に閉じこもったり、家族とご飯を食べなくなる子もいます。

そんなとき、どんな声がけをしたらよいのか悩んでいる親御さんも多いです。会話が難しいときは「おはよう」「ただいま」「おやすみ」など、親の方から「挨拶」をしてあげてください。最初は返事が返ってこなくても、続けているうちに子どもからうなずきや「ああ」だけでも返ってくるようになります。

昼夜逆転して昼過ぎに起きても、親から普通に「おはよう」と言ってもらい、「ああ、家にいてもいいんだな」と思って罪悪感が軽くなったという経験者もいました。

「天気」「気温」の話題も「今日はよく晴れてるね」「この頃雨が多いね」「暑い」「寒い」など、共有できることは声かけしやすいですね。

少し元気が出てきたら「献立」のことも「今日は、○ちゃんが好きな○にしようね」と口に出して言ってみるといいですね。

子どもから返事が返ってくるようになれば「献立」についてときどき相談してみるのはどうでしょう。「今日は、カレーライスにしようか、ハヤシライスにしようか、肉じゃがにしようか、迷っているの。何がいいかな?」材料が同じだからどれにしてもできるわけです。「煮込みうどんか焼うどんか?」など、選択肢を考えるのも楽しいですね。

家庭訪問は子どもの気持ちに配慮して

葛藤期は自責の思いが強かったり、学校での傷つきから他責的な気持ちになっていたりもします。そのため、担任の先生が家庭訪問に来ても会いたくないのです。行けなくなるまでの先生に対する印象がよければ会えますが、子どもなりに気をつかって普通に応対しているけれど、後で非常に疲れていたりします。

子どもが会いたくないと言えばその気持ちを汲んで、「今は先生に会うのはつらそうです」と伝えて、親だけ会うほうがよいと思います。

先生には「学校の話題は触れず、子どもの心身を気づかう言葉や子どもの興味・関心のある話題で会話してくださると、子どもは不登校の自分を理解してくれていると感じると思います」と伝えてください。

3大特徴への対処法

「安定期」の多くの子どもたちが経験する

- 長時間の「ゲーム・ネット（SNS・動画）・TV・コミック」
- 「昼夜逆転」の生活
- 「生活習慣の乱れ」

という状態を毎日見て、多くの親は、「このような状態がずっと続くのではないか？」

と心配になります。しかし、この時期の子どもは学校に行こうとしても行けない自分から解放され、なんとかして心を安定させようとしているのです。自己否定をする「葛藤期」から「安定期」に入り、心がやわらいでやっと家で心身を休める時期に入ったといえます。

「安定期」に入って子どもが家にいることが常態化してくると、学校以外のことはやりとりできるようになります。この時期に、子どもが好きなことや、ゲームやアニメ、動画などの話をし始めたら、それをできるだけ聴いてあげてください。というのは、こうした雑談、気晴らしの会話がエネルギーの回復に必要だからです。「安定期初期〜中期」でも、学校関係の話は、子どもにとってまだ刺激になりつらくなります。イライラしたり腹を立てることもあります。毎日たわいのない会話を繰り返してエネルギーが溜まると、外に出かけたり、新しいことをやりだしたり、「学校へ行ってみようかな」と言うこともあります（実際に行けるかどうかは別にして）。

エネルギーが少ないときは、ネガティブな考えや感情を忘れるためにゲームやネットをしていますが、エネルギーが溜まってくると、新しいゲームをしたい、興味のある動画を探してみるなど意欲が出てきます。

「相変らず好きなことばかり」と親から見れば変化が見えませんが、子どもにとって生産的な活動の中に入っていきます。ゲームの中で人とコミュニケーションをしたり、好きなサイトやゲームの中でやりとりする相手をみつけたり、アニメの描画が急に上手になることもあります。学校に行けないけれど、親は自分の活動を認めてくれているという安心感が次のステップへの踏み台になります。

学校に行ったり、勉強をするほどエネルギーはないので、親から見れば好きなことだけやっていていいのかと心配になってきます。しかし、子どもが話してくる内容の変化を感じ取りながら、それがゲームの技量があがったという話でも、一緒に喜んで聴いてあげてください。

雑談や子どもの活動の会話を増やして親子が信頼で結ばれると、親も子もそれぞれが持っている思いや考えを互いに尊重し、互いに認め合う関係ができています。そのような関係の中で進路選択や将来の仕事など、人生上の大事な話も出てきたりします。まだやっと挨拶だけするようになった過程で、いきなり進路の話をするのは親子関係を悪化させてしまいます。安定期にゆっくり子どもと安心して楽しく話し、親子の関係を築いてほしいと思います。

ゲーム・ネットは否定されるとやめられない

心身を休めているとはいうものの、親は、ゲーム・ネットばかり一日中やっている子どもを目の前で見ていると、ネット依存になって、このまま長期のひきこもりになってしまわないかと心配になってきます。こういう場合は2つのケースが考えられます。

1つは学校で特段のストレスはないが、いわゆる「ネット依存」からだんだん学校へ行けなくなって、不登校になってしまった場合。他方、学校に行っていたときは特に長時間ネットやゲームをしていたことはなかったけれど、学校でなんらかのストレスが過剰にかかり、勉強や対人関係の不安や悩みから逃れるためにゲームに没頭してしまい、とうとう行けなくなってしまったという場合です。

前者については依存の程度にもよりますが、「ネット依存」を治療するべく医療機関・相談機関の支援を受けながら、親子関係の改善と生活の改善を図る必要があると思います。

後者に関しては、「葛藤期〜安定期中期」にかけてゲーム・ネット・スマホを長時間見ている状態は多くの子どもたちに見られます。親の世代が経験していないだけに、よくわからない世界に耽溺している子どもを見ると、こんなことばかりしていていいのだろうかと不安に駆られるのも無理のないことと思います。

逆説的ですが、ネットやゲームを親が認められず、否定している間は子どもはやめられないのです。不登校の経験者が述懐しているように、ゲームやネットをしている間だけ悩みから解放されているのです。学校に行けない自分を子どもは自己否定し、不安の中に落ち込んでいます。その世界へ逃避して自分の心をなんとか安定させようとしているのです。そういう状態の上に、親が制限したり否定的な言動をしたりすると、ますます不安定になり、仮想の世界に逃避してしまいます。休みだしてから当分はスマホ・ＰＣばかりしていることも仕方がないと認めてあげたほうが、本人の心は不安が軽減されて安定していくのです。決して安心しているわけではありません。

親から見ると「相変わらずゲームばかりしている」としか思えませんが、安定期中期になると、逃避するためにやっていた状態から徐々に脱し、子どもは自分の「興味・関心」を広げるために、ネット・ゲームをしています。仮想の世界に逃避したまま長期のひきこもりになるのか、そこからエネルギーを充電して成長の糧になるかの分かれ目は、親の「否定しないまなざし」と「子どもの話を聴く態度」にかかっているのではないかと思います。

ただし、親はただ見守っていればいいというのではありません。親に否定されていないと感じると、子どもは自分がやっているゲームや動画の話をしてきます。子どもが話をしてきたとき、話の内容がわからなくても、子どもの話を理解しようとして聴いてあげてください。

親にはよくわからないこと、興味のないことかもしれませんが、子どもがどういうものを見ているか、どんなゲームをしているか、ネットの世界でどんな人と出会っているか、何を感じたり考えたりしているのか、子どもから話してきたときにそれらを知っておくことが大事なのです（訊問口調にならないようにしてくださいね）。子どもがネット上で不快な思いをしたり、被害にあったり、逆に加害者になる可能性もあります。困りごとが起きたときに親に相談できる関係を作っておいてください。

親が子どもの熱中していることを認めていると、子どもは今やっていること、考えていることやおもしろかったこと、感じた気持ちなどを親に話してきます。その話を聴いていると、今どんなものを見ているのか、ネットの世界やSNSでどんな人間関係を経験しているのか、今子どもの興味・関心はどこにあるのか、少しわかってきます（聞き出そうとしないで、子どもから話してきたときに、興味を示して聞いてあげてください）。思春期の子どもは、不登校になるまでに培った現実世界での経験や知識、価値観を持っていますから、ネットの世界でも取捨選択をしています。何もかも鵜呑みにしているわけではありません。SNSやゲームの中の人間関係でも「この人なんだかおかしいぞ？」とセンサーが働いたとき、親に話せることが大事なのです。

ネットで知り合った人と実際に会って被害にあうという事件がマスコミに見られますが、孤独を感じたとき、親に話を聴いてもらえない子どもが寂しさから人を求めているのではないかと思います。

ネットがなかった時代は家に帰れば学校での人間関係から解放されたのですが、ＳＮＳの普及している今は、家に帰っても関係が続いています。プライベートな時間にもつねにＳＮＳで監視されているような状態になったり、仲間から外す・外されるといったいじめが知らないうちに起こっていたりします。

また、不登校になってもＬＩＮＥで友だちとつながっています。友だちとの関係性によってはそれが心の支えになっている場合もありますが、そこから離れられなくてつらさが増す場合もあります。

不登校の自分の状態を子ども自身が受け入れられるようになると、自らＬＩＮＥをブロックして交友関係を断つことがあります。今までの交友関係を断つとき、ゲームなどで新しい人間関係ができていることも多いのです。孤独になる子どもを見て親は心配ですが、子どもが精神的に安定しているなら、自分の心を守る工夫だと理解してあげてください。

昼夜逆転は直そうとすると直らない

「昼夜逆転して世の中の活動時間帯から外れた生活をしている我が子が心配」という親御さんの気持ちはもっともだと思います。こんな生活が習慣になると、二度と学校に戻れないんじゃないかと思い、「とにかく朝は起こしています」という方もいます。しかし、いつか登校する日を期待して朝起こしている間は、子どもは気持ちが安定せずしんどい状態が続いています（ごくまれに、みんなと同じ時間に起きることに自己肯定感を感じて、自発的に起きていたという経験者がいました）。昼夜逆転は親から言われて直るのではなく、「安定期後期」くらいにエネルギーが充電できると徐々に外へ動き出します。

昼夜逆転は「安定期後期」〜「始動期」〜「活動期」にかけて外に出る機会が増えるにつれて、本人が行きたいところに行くために、会いたい人に会うために朝起きるようになります。子どもは外に出る時間に合わせて起きるようになります。昼夜逆転を直すのではなく、外に出る機会が多くなるにつれて朝起きる日が増え、やがて生活時間が変化するのです。

不登校になると、このままずっと外に出られなくなってしまわないかという不安がつきまといます。本人にとってはほかの子どもと違う生活をしていることに自責の念があると同時に、不登校をいけないこととしてみる「世間の目」を感じ、自分だけでなく家族を守りたいという気持ちから、外に出にくくなっています。まずは親が、大丈夫なのだと子どもを連れ出し、一緒に楽しむことで本人を安心させてあげることが大事です（ただし、心がしんどい時は出られません）。子どもは安心してひきこもれる時期に、外に出ていくエネルギーを溜めているのです。

安定して家に居られるようになると、子どもは深夜一人で起きている間にネットやコミック、ＤＶＤ、本、深夜ラジオ、絵を描くなど、自分の興味・関心からさまざまな新しい知識や情報に触れていきます。「ずっと動画ばかり見ているみたいだけど、何を見ているのか？」「ネットゲームに熱中しているんだろうけど、どんなゲームをしているんだろう？」「アニメやまんがばかり。少し本や新聞でも読めばいいのに」と子どもが自分の知らないことをしているので、親は心配でたまりません。不登校を経験した人たちに聞くと、「深夜には罪悪感が薄れて、安心して好きなことやりたいことができる」「ネットの世界で色々な考え方や行動をする人がいることがわかった」「あのときやっていたことから興味・関心が広がって、志望の大学を決めたり、今の仕事を考えるきっかけになった」と言います。

ひきこもる不安を乗り越えた母親たち

「葛藤期」から「安定期」を見守ってきた母親は当時をふり返って次のように話しています。

子どもが小学校低学年で不登校になったとき、私は子どもをひきこもらせないようにと必死で外に連れ出していた。学校に行かないのなら私ががんばらなくてはと思って、博物館・美術館・植物園・図書館など子どもとよく出かけていた。お稽古事やフリースペースも探して通わせ、プレイセラピーやメンタルフレンドさんの訪問も頼んでいたし、今考えると学校へ通うよりも忙しかったかもしれない。私はよほど不安だったのだろうなと思う。でも、子どもと二人で過ごした時間や、行った先で出会った人は、私にとっても子どもにとっても財産になったとは思っている。学校へ行っているよりもある意味豊かな時間を過ごしていたのかもしれない。

高学年・中学になると子どもは人目を気にするようになり、家から出なくなってひきこもりがちになり、一日中一人ぼっちで過ごしていた。私はぼ～っとしたその姿を見るのがつらくて心が痛んだ。かわいそうでならなかった。外へ連れ出そうにも、大きくなった子どもは以前のようには親の誘いにはのってこなくなった。「家にただいる」時間は、はたから見ていると無駄な時間で、また本人にとってもつらいだけの時間のように見えるかもしれない。しかし、果たしてそうだろうか。今私は「その時間こそが子どもを成長させた」と思っている。「孤独は人を強くする」。子どもは今、普通に学校へ行っていたきようだいよりも一人でも平気という強さがあるし、友だちと無理してつるむ必要がないからいつだって自由だし、気持ちがのびのびしている。「一番人目が気になる思春期に入ったとき人から離れ孤独になる」。それをひきこもりというのなら、誰にとってもそんな時間が保障されることの方が大切なのではないかと今は感じている。

子どもが不登校になって一番不安だったのは、このままひきこもりになったらどうしようということだったと思う。その当時、ひきこもり状態の人の犯罪がクローズアップされたこともあり、ニュースで「不登校の後ひきこもりに」とたびたび報道されるのを聞いて、子ども自身が「ぼくは不登校やし、将来あんなんになるんかな」とつぶやいたこともあった。即座に否定したけれど、小学生だった子ども自身も、将来への漠然とした不安があったのだろう。ひきこもることについての私の不安が少しずつ軽減されていったのは、生活の中、子どもの成長に気づいたときだったと思う。「学校に行かなくても、色々なものを感じ経験して、家の中でも成長している」「エネルギーが回復してきている」と実感できるようになったとき、きっといつか動き出すと思うようになった。現状を否定するのではなく未来を信じられるようになり、「このままでいいや」と思うと共に、「そのうち何とかなるやろう」という楽天的な気持ちになっていったからだった。子どもの将来への不安と葛藤を抱えているときは、子ども自身もすごくしんどそうだったのに、私が楽天的になると子どものびのびできるようになり、ますます元気になっていった。私の気持ちの変化が子どもにも反映するようだった。不登校をきっかけに「不安の先取りをしない」ということを学んだような気がしている。

子どもが家にいることを受け入れ、心配しながらも居心地のよい環境で子どもが過ごしているうちに、子どもの成長に親が気づくときが来ます。「子どもは家にいても成長するのだ」と実感したとき、「きっといつか動き出すだろう」と、未来を信じられるようになっていきます。

イライラの対処法

頭では理解しても、毎日ゲームや好きなことばかりして何も考えてないように見える子どもを相手にイライラすることもあるでしょう。子どもの方が悩んでイライラして親にぶつけてくることもあります。親もいつも安定しているわけではないので、疲れが溜まっていたりして、ついきつい言葉を投げ合い、しなくてもよい喧嘩になることもあります。

そんなとき、経験した親はどのように対処していたかを聞いてみました。

子どもがイライラしていたり、つっかかってきたり、反対にだるそうにゴロゴロしていたとき、必ず私も連動してしんどくなる。あ〜またかぁ…って正直顔に出ていたと思う。最初はがんばって平静を保っているが、次第にイライラがつもっていく自分がわかる。食器を置く音が大きくなり、ドアを閉める音が部屋に響く。おそらくそれが私の平常心の限界の合図。何回もやっていると子どももなんとなく知っている。家事が残っていると、これはこれでまたイライラするので、やることだけやって別室へ。お菓子とお茶、読みかけの本や雑誌を用意して、誰にも邪魔されない空間へこもって現実逃避。昼間なら近所まで買い物に出かける。

仕事・家事・育児、そして不登校の子どものイライラ。たくさんの疲れが溜まってくると、気分を変えないと私の心身がもたない。相談機関に行った帰りに、映画を見てご飯を食べて…日常の生活を忘れる時間は大切な時間。イライラを受け止められるだけの心の余裕があれば、子どもを受け入れればいいのかもしれないけれど、こちらも人間でしんどい時もあるわけで、そんなときは物理的に距離を置くのが一番だと思っている。

親だって生身の人間。疲れていると、言ってはいけない一言が出たりする。子どもが言い返せばよいけれど、落ち込むのを見ると「ああ、また失敗してしまった」と後悔することもある。だけど、親子の長い関わりの中のひととき、よいときも悪いときもあって当然。「言い過ぎたら謝って仲直りすればいい」くらいに思ってあまり腫れ物に触るようにしなくてもよいのでは。

我が家の場合は不安感を訴えてくることが多く、「大丈夫だよ」と声かけをしていたが、度重なると親子共にしんどくなったりした。そんなときに医療機関で「見捨てられ感を持たない程度にほっといたらいい」と言われ、その言葉を心がけながら過ごしていたように思う。子どものしんどさを全て受け止める事はできないのだから、一緒にいるだけで十分なのかもしれない。

「行きたいけど行かれへん」と泣く娘に、こちらも泣きたい思いを振り払うように「きっとそのうち行けるようになるから」と背中をさすったことが昨日のようだ。1週間後もそのうちだし、1年後も、2年後もそのうち。「そのうち」という表現にずいぶん助けられた気がする。お菓子作り、料理、手芸、家でできる事を一緒にやってみた。しかし、これは始めのうちだけで、ほとんどはテレビとパソコンと寝ることだった。ちょっと動いてはしんどくなり、また動いてしんどくなりを繰り返しながら、やがて「そのうち」がやって来た。どうしても行きたい高校進学を目指し、学校へ、塾へと動きだし、無事合格。楽しい学生生活を過ごした。親は、子どもの後ろからついていっただけのような気がする。

不登校のときは、あまり親に不満をぶつけてこなかった。ずっと後になって、何かうまくいかないことがあると親に愚痴を言うことが多かった。愚痴であれば聴けるが、不登校のときの対応など責められると、親も一番苦しいときだったので言い返したくなる。こういうときこそ聴き届けてやるのが大事と聞いたことがあるので、「そうかー。悪かったね」と言っているが、内心は穏やかではなかった。

うちの場合は身体症状があったので、不登校の始めから医師にかかっていた。医師から「休んでもいいいんだよ」と言われていたし、学校を休むことの罪悪感は多少はましだったと思う。しかし、しんどさ＝身体症状だったので、親に対してそれ以上につらさを訴えてきたりということはなかった。ただ、身体症状は本人もつらいし、何の手助けもしてやれない状態は見ている側もつらいことだった。身体症状は学校を休んでいても続いていたし、これを直すのはどうしたらいいのかと悩んでいたところ、カウンセラーから「身体症状を身体の言葉として聴く」というアドバイスを受け、そのように受け止めていた。すると、身体症状は徐々に軽減していき、身体症状で心理的な葛藤を出していたのだと思った。

親子の数だけ関わりも違って当然ですが、まず親がストレスを人の助けも借りながら、できる範囲で解消していくことが大事なんですね。

小さな変化に目を向けて

「学校もまともに行けないようでは、厳しい社会で一人前に生きていけないのではないか？」不登校の子どもの親であれば、一度はこんな心配をしたことがあるはずです。会社や組織の中で日々苦労して仕事している親にとっては、当然の思いだと思います。職場の人間関係や顧客の対応に毎日神経をすり減らしたり、サービス残業で疲れが溜まっていたりすると、毎日ぐーたらして（いるように見える）、スマホ・ネット・ゲーム三昧の我が子を見ると、それはもうイライラするでしょうね。気持ちはよくわかります。

母親は、カウンセリングに行ったり、親の会で話したりして日頃のうっ憤を発散できますが、父親は、そういう機会がほとんどありません。妻に「なんとかせい」と言いたくなるでしょうし、子どもにも、学校のことには触れなくても、関係ないところで八つ当たりすることもあるのではないでしょうか？

最初の「学校でさえまともに行けてないのに、社会でちゃんとやっていけるのか」という心配に応えたいと思います。結論から言いますと当たり前といえば当たり前なのですが、「学校と社会は全然別のものだ」ということです。同じ年齢の数十人の人たちが同じ部屋で同じことをしているという環境は、ほかの社会では見られません。そういう環境でストレスが過剰にかかったり不安になったり、怖い思いをする経験が重なって、もはやそこには行けなくなるほどダメージを受けたのですから、よく似た環境の中に入って行くのはとても勇気がいることだと思います。そう思うと、高校には行けなくても、バイトには行けるというのも理解できます。バイト先で認められて自信ができ、学校にも行けるようになった子どもたちもいます。

そんな日々の中で「いつのまにか親の知らない知識が急に増えている」「人を見る目があるんだ」「よい感性をしているな」「ちゃんと考えているんだ」「新しくできるようになったことがあるな」など、子どもの話に成長を感じる場面も出てきます。

しかし、親は毎日子どもを見ているので、小さな変化に気づかないことがあります。そんなときにカウンセリングや親の会などで子どもの様子を話すと、「○○に興味が出てきましたね」「気持ちに余裕が出てきた感じですね」と言われて、初めて変化に気づくこともあります。そんなちょっとした変化への気づきを一つひとつ重ねていくうちに、いつのまにか子どもは大きく成長しています。「安定期」に昼夜逆転していても、家で好きなこと・やりたいことを親の肯定的なまなざしのもとで思う存分できると、エネルギーが充電していきます。安定期に十分心身を休めてエネルギーを充電できると、次のステップに踏みだせる「始動期」に入って行きます。

どうしたらエネルギーは溜まる？

親御さんから「エネルギーを溜めるにはどうすればいいですか？」と聞かれますが、

「好きなこと・やりたいことをさせてあげること」と答えています。毎日ゲームばかりしている子どもを見ているのは心配になって当然です。でも、親子の日常のコミュニケーションを続けていると、子どもは「好きなこと・やりたいこと」の経験から将来につながる何かを吸収したり、成長していることが感じられてきます。好きなこと・やりたいことから友だちができたり人とつながったり、次のステップを見つけたりしていることが多いのです。

子どもがエネルギーを溜めて次のステップに動き出すまで学校の勉強は遅れていますが、エネルギーが溜まってきて、できるところに戻って教えてもらうと、不思議なほど急速に学力を取り戻していきます。自分なりの目標ややりたいことで志望校を決めると、必要な勉強を始めます。特に今の時代は学校、会社、組織など「所属」にこだわりますが、自分自身が「何をしたいのか」「どんな生き方をしたいのか」「どんな人間関係でいたいのか」主体的に考えられるようになると子どもたちは活発に動いていきます。

一人の人間として尊重される経験

中高一貫校が増えるにつれて、中学受験をする子どもが増えてきています。特に親御さんが進学に熱心でなくても、子どもが友だちと同じ塾に行きたいと言ったことをきっかけに行き出し、そこで成績がよいと子どもも親も受験に特化した塾のシステムの流れに乗っていくことは当然かもしれません。そこで培われた成績至上主義の価値観を持った子どもたちは中学受験を勝ち抜き、その後の受験勉強のシステムに入って行かざるを得ません。

その流れの中で、疲れきってしまい、なにかにつまずいて泳ぎ続けられなくなった子どもたちがいます。流れの中で立ち止まり、どうしてよいかわからず立ち往生しているけれど、また何とか流れの中に戻ろうとしてがんばっている姿を見ると、「一度流れから出て、ゆっくり疲れを癒してあげたら」と思うのです。けれども、その流れにはそれまで培った価値観や友だち関係、親や先生に期待に応えることのできる自己イメージやプライドなど、アイデンティティを保障するものがいっぱいつまっています。その流れから出ることは短いながらもそれまでの自分の人生が無意味になってしまうほど、不安で怖いことなのだろうと思います。

親の方が「流れ続けることは早く諦めて、次の道を考えようよ」と思っていても、子どもにしてみれば今までがんばってきた自分を否定されているように思ってしまうのでしょう。子どもは「できること」「がんばること」がよいことという価値観で過ごしてきたのに、がんばれなくなってしまった自分を情けなく思い、否定し、責めてつらくなっています。急に「がんばらなくてもいいよ」と言われても、納得できないのだと思います。そんなとき子どもに必要なのは何なのでしょう？

容易に答えを見出せるものではないですが、不登校を経験した成人たちが伝えてくれているのは、自分の所属や評価から離れて「一人の人間としてあなたはかけがえのない人」という存在として認められたとき、流れから離脱する勇気が出てくるのだと思います。「あなたのつらさ、怖さはとても伝わるし意味のあることなんだ。あなたの喜びや楽しさが傍にいる私にも伝播して、私も楽しいし、嬉しいことなんだよ」と受けとめて傍にいてくれる人がいるところで、子どもたちはだんだん元気を取り戻していきます。回復していく過程とともに経験の幅が広がり、価値観や人生観が成熟していくという変化を見せてくれます。

その過程で学校の流れの中にいては出会えなかった「人・もの・こと」に出会い、それがもう1つの流れを見つける経験になっています。それは壮大で、時間のかかる根気のいる思考と心の仕事なのだと思います。子どもを支え伴走する親にとっても、子ども以上にしんどい作業かもしれません。子どもを管理することを手放し、子どもが自分自身で体験し失敗もしながら学んでいく姿を見守っているのは、忍耐のいる仕事です。だけど、一人ではしんどい作業も心許せるだれかと語らいながらやれば、おもしろく楽しく、やりがいを感じることもあります。一人で抱え込まず、どうか安心して話せる相手、親の会、カウンセラーを活用しながら、エネルギーが溜まる環境を整えてあげてください。

コラム

不登校あるある川柳①

不登校の我が子を目の前に、どうしたらいいかわからない…という方も多いと思います。そんなとき、胸に秘める苦しみを表現すれば、少し気持ちが楽になるはず。クスッと笑えるものから、ほろりと涙がでるものまで。悩み、迷う日々だからこそ、不登校あるある川柳で気持ちをわかち合いましょう。

あすは行く　言葉通りには　動かない

いざ行く時間になると身体が拒否してしまうのです。

行ってきます　さっき出たのに　靴がある

やっと家を出た、やれやれ。と思う間もなく靴を見つけた。やっぱり行けなかったんだね。

行かれぬと　涙の我が子　胸痛む

なぜ行けないのか？　自分でも分からないと苦しむ我が子を見る親もつらい。

なぜ行けぬ　何がどうして　こうなった

親も焦りと不安でいっぱいです。

お子さんは？　聞かれたくない　母心

同級生のママ友に出会うと聞かれるけれど、答えにつまってしまうのです。

用意した　弁当食べずに　ゲームの子

弁当は学校で食べるものと思っているのか、手を付けないでゲームをしている。

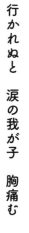

他所《よそ》の子の 制服見ては 涙ぐみ

制服を着た子どもたちが歩いている。我が子もあの制服を着て通学していたのに。

原因は 本人だって わからない

1つだけではない、様々なストレスがかかっていたのです。

ほっとする わからないのが あたりまえ

「なぜもっと早く気づいてやれなかったのか」責める自分に「私もわからなかったよ」と言ってくれた先輩お母さん。

第3章

不登校からの進路の選び方

第3章　不登校からの進路の選び方

子どもが不登校になると、標準の進路選択コースに乗れなくなったことで親も子も落ち込み、将来どうなるのかという不安と早く通常の群れに追い付かないとという焦りに駆られると思います。かつての私も先がどうなるかわからない不安でいっぱいでした。でも、我が子の経験も含め、24年間不登校の子どもたちの成長過程を見聞きして来た私が言えるのは、「せっかく不登校になったのだから、その子だけのオリジナルな成長の仕方をしてみませんか」ということです。

学校に行き続けている子どもたちにも、それぞれの成長のペースがあります。早熟な子どももいれば、ゆっくり育っていく子もいます。しかし、今の学歴社会のシステムでは、子どもの成長のペースとは関係なく進学の節目が来て、その節目に合わせて子どもたちは一斉に走らなければなりません。

周囲が進学に向けて走っている間、不登校の子どもは立ち止まっています。苦しくつらい毎日を送っている時期ではありますが、エネルギーを溜めて動き出すまでの数年間は決して無駄ではなく、大人になった経験者たちの話からはその後の長い人生にとって貴重で豊かな経験をしていることがうかがわれます。「苦しかったけれど生きていてよかった」と今の自分を肯定できるとき、過去の経験が活きてくるのだと思います。

そんな不登校の成長過程を歩んでいくために、どのように進路選択し、進学後の生活を過ごしていくことがよいのでしょうか。

進路選択はエネルギーの回復過程に沿って

学校選びの際の不安は、大きく分けて次の３つです。

1．対人不安
2．学力の不安
3．しんどさを理解してもらえるかどうか

この３つの不安がどの程度かは、エネルギーの回復過程によって、一人ひとり違います。

このプロセスをエネルギーの充電度という観点からエネルギー曲線にして表した図が巻頭にありますので、そちらを参照しながら読んでください。

エネルギーが溜まって外に向かって動き出す「始動期後期」に中学卒業から高校入学の時期が当たると、ちょうど動き始める時期に来ているので、新しい環境に入っていきやすいのです。しかし、進学の時期がエネルギーの充電度や回復過程とマッチしているわけではありません。

まだ動き出すほどにエネルギーが充電できていない「安定期」（約１年～３年またはそれ以上）は、本来はもう少し家でゆっくり充電していた方がよい時期です。その時期に進路選択が重なると、意識はみんなと同じように高校へ行きたい、リベンジしてがんばらなくてはと思うのですが、入学後すぐにエネルギーが枯渇してしまい、また行けなくなってしまいます。

まして、中３の２学期末～３学期の頃に行けなくなった場合は、進路決定の時期でもあり、意識が勉強や高校進学に向かざるを得ないので、家で休んでいても心身の葛藤状態は大きくつらいのです。入試に合格する学力はあっても、外に出られるほどのエネルギーがない状態です。それでも何とかがんばって入試を受けたり、面接に行くこともありますが、そこでエネルギーを使い果たして入学式に行ったきり行けなくなっているということがよくあります。

同じことが全日制高校に進学した後に不登校になった子どもにも言えます。欠席が増えていき、留年の文字が頭によぎるけれど登校できないという葛藤状態が毎日続いています。早期に通信制高校へ転学を決めても、ストレスで傷ついた心身をゆっくり休める「安定期」を過ごしていなければ、外に出て行くほどエネルギーが溜まっていないのです。

それでは、それぞれの時期に進路選択をどう進めていけばよいのでしょう？

「渋滞期」からの進路選択

完全に行けなくなった頃ですと、子どもは精神的に不安定になっていて頭が混乱しているので、進路の資料を見せるのもはばかられると思います。親もこれまでに描いていた進学のイメージが崩れて途方に暮れることでしょう。少し時間を置いて、子どもが落ち着いてきた頃を見計らって、学校からのプリントや先生から聞いた情報を伝えておきます。「今は考えられないと思うけど、一応伝えておくね。お母さんにできることあったら、いつでも言ってね」くらいに留めておいた方がよいと思います。

「葛藤期〜安定期初期」からの進路選択

この過程で高校に入学しても、まもなく行けなくなることが多いです。親の心づもりとして、「今年は高校に進学しないで1年間家でゆっくり安定期を過ごす」という選択肢も入れておいてください。子どもにとっても猶予期間があると過剰なプレッシャーを感じないで、自分に合う選択ができると思います。進学を「待つ」親にとってはつらい1年ですが、経験した当事者たちは「その時間が必要だった」と言います。

一方、「入学後行けそうにないけど、どこにも在籍していないと不安」と子どもが言う場合は、行けなくなった時の対応を高校の個別相談で先生に聞いておくとよいでしょう。相談しやすい先生がいて、通学日数、登校時間、授業のシステムなど、本人にできるだけ無理のない学校を選んで入学しておくというのも1つの方法です。ずっと停滞していた子どもが親の予想を裏切って、急に動き出すということも珍しくありません。

「安定期」からの進路選択

子どもに「学校に戻らなければ」「みんなと同じように」などと焦る気持ちがある間は「新しい学校環境に馴染めるのだろうか?」「友だちと同じようにふるまえるのだろうか?」と不安でたまりません。同調圧力の強い学校環境でしんどくなった子どもたちは「人と同じときに笑えるだろうか。自分一人、ずれて浮いてしまいはしないか」という不安な気持ちがあると聞きます。場の空気を読むというのも過剰に敏感になってしまうと、言葉にならない感覚を感じようと四六時中アンテナを張ってしまい、たいへん疲れるだろうと思います。

そんなふうに同年代がしんどい場合、最初はあまり生徒のいない時間帯に親子で個別相談に行き、先生と会ってみるといいでしょう。感触がよければ生徒のいる時間帯に再度訪問して、子どもが自分の目で見て、学校の雰囲気・先生の印象・生徒の雰囲気など肌で感じて、「ここだったら行けそう」という感じがあると続いています。説明会だけでなく通常の授業風景を見せてもらうと、雰囲気がよくわかります。

不登校の間しばらく電車に乗っていなくて車で移動していると、切符を買う、改札機を通過する、人の多いホームで並ぶといった日常的な場面で緊張することがあります。進路を決定する前に、通学時間や電車の込み具合も経験しておくことをお勧めします。対人不安がある間は電車の中で緊張が続くので、通えなくなることがあります。

また、安定期から見られる昼夜逆転の生活。「こんな昼夜逆転している生活では本当に高校へ行けるだろうか？」と心配になりますが、十分エネルギーが溜まってくれば、必要に応じて生活が変わってきます。中学をほとんど行かずに卒業し、高校から毎日休まずに行った子どももいます。子どもがエネルギーを充電できているかどうか（精神的に安定して生活し、好きなこと・やりたいことに意欲が出ている、家族と普通に会話できている、外に向かって動き出している状態）が、大切なのです。

「始動期」からの進路選択

最近では通信制高校・サポート校や夜間および昼間定時制高校などの情報を知り、「今は中学校に行けなくても何とかなりそう」と仰る親御さんも多いです。一方、子どもは周囲のクラスメートの大多数が全日制高校に行くので、友だちと同じように全日制に行きたいと言うこともあります。塾や学校でインプットされたイメージなのか、通信制というと「全日制に行けない落ちこぼれが行くところ」というイメージを持っていたり、中には「通信制高校に行くと大学に進学できない」と思い込んでいる場合もあります。ネットが普及している昨今でも、通信制高校の情報が正しく伝わっていないように思います。

逆に子どもの方からネットで調べた高校に行きたいと言ってくることがあり、親はそれまで知らなかった高校名を聞いて、戸惑うこともあります。

子どもが「安定期」をゆっくり過ごせて「始動期」に入っている過程ですと、一緒にいくつか学校見学に行き、親子で相談することができます。

外に動き出しているこの過程では、全日制高校を希望する子どもがいます。しかし、進路選択の際には全日制高校に行けなくなったら通信制に転学することも視野に入れて、通信制高校にも見学に行っておくと、あまり思いつめることなくかえって登校できるようです。

ここでは、長い安定期を経て動き出したTさんの例を紹介します。小学校低学年から長期に休みがちだったＴさんは、安定期をゆっくり過ごし、中３の進路選択の時期に始動期に入っていました。Ｔさんは親と一緒に全日制・通信制などのいくつかの高校見学や通信制高校の合同相談会に行っていました。そうしているうちにＴさんの中に、「小中学校ではほとんど行けなかったけれど、高校は普通の学校生活を経験してみたい」という思いが強くなってきました。「行ってみてだめだったら通信制に移ればいいね」と親も賛成してくれたので、全日制高校普通科を受けてみることにしました。中学までほとんど学校の勉強はしていませんでしたが、受験勉強が必要と思ったＴさんは、そのときから個別の塾で勉強を始めて入試に臨み、合格することができました。入学した高校の自由な校風が合い、楽しい３年間を過ごした後、志望の大学に進むことができました。

高校を選択するとき知っておきたい基本情報

子どもの進路選択が初めての場合、全日制・定時制・通信制など高校の種類や単位制と学年制の違いなどわからないことが多いと、何を基準に考えたらよいか混乱して

高校を選択するとき知っておきたいこと

高等学校の種類

- 全日制課程
- 定時制課程
- 通信制課程

高校卒業の３要件（全日制・定時制・通信制　共通）

① 74 単位以上の修得

②（全日制）通算３年間の修学

（定時制・通信制）通算３年間以上の修学

③ 特別活動への参加（30 時間以上）

単位認定の分類

学年制

学年ごとに決められた単位を修得して進学

単位制

学習・登校・試験の一定条件を満たして単位を修得

高校に行かずに高卒資格を得るには？

高校卒業程度認定試験（高認）

しまいます。その時は学校の種類・特長・卒業要件などの違いを基準にするとよいと思います。右の表で高校に関する基本的な情報をまとめました。

ここまでで、エネルギー量に合わせた進路選びが大切だとお話ししました。その話をふまえて、全日制・定時制・通信制をどのように選ぶかを見ていきましょう。

1. 全日制高校への進学を希望するとき

● 毎日通学できるくらいエネルギーが溜まっているかどうか、対人不安がないかが目安になります。

● 「友だちが行くから」「みんなと同じ高校に行きたい」、あるいは「一発逆転」をねらって高校からリベンジしてがんばろうと決意して行く子どもは多いのですが、エネルギーが溜まっていないとたいていは1学期中にしんどくなっています。入学する際に本人が、「全日制でやってみてしんどくなったら通信制もある」というくらいの気持ちで行った方が続いているようです。

● ほとんどの私立全日制高校は中学での欠席日数や評定はあまり考慮に入れず、本人の意志と入試の成績で入学を決めていると言われます。入学してからは特にサポートはありませんので、心身の状態が毎日通学できる状態（始動期後半〜活動期）かどうかを子どもとよく相談して決めた方がいいと思います。最終的に子どもが「行きたい」「行けそうだ」と言うのであれば、多少不安があっても入試を受けさせてあげたほうがよいでしょう。

●進学校は入ってからの宿題の量や予習復習がかなり多く、授業の進度も速いのでわからなくなるとどんどん遅れていき、欠席が続くとますます遅れてわからなくなるという負のサイクルに陥ってしまうことが多く見られます。

●全日制高校でも単位制を採用している学校では不登校対応をしてくれる学校もあるので、ほぼ毎日通学できる程度にエネルギーが溜まっていて子どもが希望するなら、入学後の対応など聞いておくといいでしょう。

2．定時制高校への進学を希望するとき

●昼間定時制の場合は対応が全日制高校に近い場合もあります。行けなくなったとき

や欠席した場合の対応を聞いておいてください。

●勉強は中学に戻って教えてくれる学校が多いです（学校説明会の際に学力の補充のやりかたを聞いてください）。

●学校からはできるだけ昼間のバイトをすることを勧められますが、しんどいときは無理をしないで学校に慣れることを優先する方がよいでしょう。

●夜間定時制の場合、夜遅くなるのでいやという子どももいます。

●夜間定時制の場合はクラスに異年齢の生徒がいることで、視野が広がったり価値観が幅広くなり、同年代を避けていたしんどい子どもが元気になっていくことがあります。

3．通信制高校やサポート校への進学を希望するとき

●公立の通信制高校は自分で時間割を作ったり、試験の時間や教室を確認したり、授業も毎日同じクラスとは限らないので、自己管理する力が必要です。学校のシステムに慣れるまで時間がかかるので、4、5年かかって卒業している人が多いですが、

自己管理できるようになることによって自信がつき自分の強みになります。

●私立の通信制高校も、学校によっては自分でカリキュラムを組むことができ、通学日数を自分のペースに合わせることができます。公立よりも先生たちのサポートがしっかりしています。ただし、サポートの手厚さは学校の規模によって差が出ます。

●通信制高校と提携してダブルスクールにより生徒の高校卒業までを支援する民間の教育機関をサポート校といいます。卒業に向けてさまざまなサポートが充実していて、例えば試験前の授業の実施、レポートの作成・提出のサポートや、大学受験対策が充実しているなど、独自のカリキュラムを目的別に選ぶことができます。

私立の通信制高校・サポート校を選択するには？

通信制高校・サポート校が随分増えたので、「どのように選んだらよいのかわからない」という声を聞きます。通信制高校・サポート校を選択するときは大規模校（通うキャンパス・学習センターにいる生徒数200人以上）中規模校（100人くらい）小規模校（50人以下）のうち、どの環境が子どもに合っているかを目安にするとよい

分　類	考慮する点
大規模校 （200 人以上） 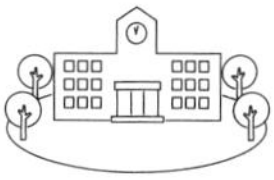	● 学費が比較的安い。 人が多いので同じ趣味の人と出会いやすい。 ● 施設が充実している。 ◎ 自分から積極的に人に関わっていける人、エネルギーが溜まって元気に出ていける人、あまり大人に構われたくない人に向いている。 △ 音に敏感だったり、集団が苦手な人、対人不安のある人には向いていない。
中規模校 （100 人くらい） 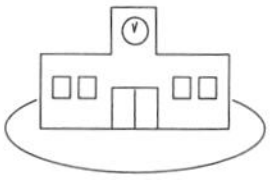	● サポートが大規模校より受けやすい。 ● 多様なプログラムを用意している学校もある。エネルギーが溜まっていて、やりたいことがそこでできれば、楽しく通える。 ● 小規模校より同じ趣味や興味のある友だちができやすい。 ◎ 外に向かって動き出している「始動期」頃の、エネルギーが溜まっていて、対人不安が少ない人に向いている。 △ エネルギーが充分溜まっていない人、集団が苦手な人には環境が合わないかもしれない。
小規模校 （50 人以下） 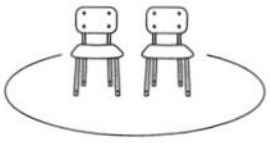	● 先生との距離が近くアットホームな雰囲気。 ● メンタル面や学力面で個別対応ができる先生が多い。 ● 手厚いサポートが受けられる。 その分、学費は比較的高くなる。 ◎ 発達の問題や対人不安を持つ子どもなど、集団に馴染みにくい人に向いている。 △ 先生との相性が合わないと通いづらい。

と思います。

前ページの表で、大・中・小規模校の大まかな特徴がわかったと思います。では、実際に個別相談で聞いておくべきポイントや考慮しておくべき点をあげていきます。

①通学日数

●週1日～5日コースを選べる学校もあるのですが、週5日に決めると毎日行かないといけない学校もあるので、途中でコース変更できるかどうか確認しておいた方がよいでしょう。

●週5日コースでも毎日行かなくてもよい学校もあります。しんどくなったら週5日行く権利があると考えて、週1日でも2日でも、自分の行けるときに行くというスタンスで通うと行けるようです。

②学力に不安がある場合の支援

●例えば少人数のクラスで先生がいるのでわからないところは質問できるという場合、自分から先生に声をかけられない子どもはわからないままになってしまうことがあります。基礎学力に不安がある場合は、子どもがわかるまでサポートをしてくれているかを確認した方がいいでしょう。

③登校しづらくなったときの対応

● 自宅学習が可能か、家庭訪問、電話など、どんなサポートがあるか聞いておきましょう。

④本校スクーリング参加について

● 学校によっては自宅から遠方にあるキャンパスで宿泊を伴う本校スクーリングへの参加が卒業の条件になっている学校もあります。本校スクーリングへの参加が必要な学校では、本校はどこにあるのか、スクーリングに参加できない場合はどんな対応をしてくれるのかなど確認しておきましょう。

⑤資格の取得について

● 「資格が取れる」という学校の中には、資格取得のための必修科目がカリキュラムに組み込まれていて科目数が増えるので、それが負担になることもあります。

⑥オンラインでの授業について

● 大部分をオンラインで授業をする学校もありますが、積極的に人と関わっていったり、自己表現できるくらいのエネルギーがないと、続かないことがあります。先生とつながる場や学校以外の場で人とつながる機会を持っていないと、外に出られないまま卒業してしまうこともあります。

通信制高校・サポート校は独自に学校説明会を開催しているところもあるので、そこで個別相談を申し込むことができます。一度に複数の学校へ相談ができるイベント「通信制高校・サポート校合同相談会」も利用するといいでしょう。

学校の規模についても、進路選択のポイントは子どものエネルギーの状態に合った規模の学校を選ぶことだと思います。

最終的には子どもが「ここなら行けそう」「ここに行きたい」と自分で決めて行くと続くことが多いです。なるべく本人が自分に合うと思える高校を選べるよう、サポートすることが親にできることだと思います。

4. 転入・編入について

一度高校へ入学したけれどエネルギー切れで不登校になってしまった場合は、転入もしくは編入で新しい学校に移ります。転入は在籍したまま別の高校に移ることをいいます。編入は中退した後に別の高校へ入学することをいいます。

同級生と同じタイミングで卒業したい場合、認められる単位は在籍校の判断になるので、まずはどれくらい単位が引き継げるのか確認をしてください。そして、転入・編入先の学校によって年間履修単位数上限と単位が認められる最低在籍期間が異なるので、希望する学校に聞いておくことが必要です。また、休学を勧められた場合、休学中は修学期間にみなされず単位が認められませんので、できるだけ在籍を続けてください。

転入・編入を考えるときにまだエネルギー量が少ない場合、4、5年かかって卒業することも視野に入れた方がよいこともあります。無理に3年で卒業を目指すよりも、小規模で面倒見のよい学校や通学の日数を抑えて無理なく通える学校など、子どものエネルギーの状態を軸に学校を選ぶとよいと思います。

親が先に情報を集めておく

親御さんは「進路の話をどう切り出したらいいのか」「どう言ったら子どもと話ができるのか？」と自分から働きかけることばかり考えますが、「葛藤期」～「安定期前期」の子どもは完全に行けなくなるまでに、心身のエネルギーを使い果たしている状態です。そのため、できるだけ刺激をしないで休ませてあげたほうがいいのです。しかし、初めての経験ですし、学校から進路決定を促される時期だと、親も焦ります。

不登校の状態から進路を考えるにあたって、まずは、全日制・定時制・通信制も含めた進路の情報を、親が先に複数知っておくことです。個別相談に応じてくれる学校も多いですので、思い立ったときに相談に行くことをお勧めします。

通信制高校・サポート校を選ぶ場合、先に親御さんが95ページにある大・中・小規模校のそれぞれのメリット・デメリットを考慮して、子どもに合いそうな学校をいくつかピックアップしてください。そして、個別に相談に行き、3校くらい決まったら、タイミングをみて子どもに一番合うと思われる高校から一緒に見学に行くといいと思います。なぜなら子どもはエネルギーが少ない状態のとき、最初に見学に行った高校に決めることがあるからです。

個別相談では、子どもが不登校になるまでの様子と現在の状態を伝えて、入学後の心配、不安なことを先生に伝えてください。不登校の子どもの心理や心身の状態をよく知っている先生であれば、今の子どもの状態を理解してくれると思います。これまでしんどくて行けなくなった子どもにどう対応してこられたかを聞いて、親が納得できれば、選択肢に入れてよいと思います。できれば3校くらいは選択肢を持っておいてください。

あんだんての進路相談会では、以上の情報を伝えた後に実際に通学している不登校経験者に学校の様子を話してもらっています。参加者の感想から一部紹介します。

こうして改めて不登校経験者の話をお聞きすると、不登校の子どもたちの中学卒業後の進路は、実はさまざまな可能性が広がっているのではないかとさえ思えてくる。大半の中学生がただ偏差値で輪切りにされた高校の中から友だちが行くからと言う理由で選んでいたりしている中、彼らには、「何のために高校へ行くのか」「どんな3年間を過ごしたいのか」「さらにその先は、どのように生きていくのか」そんなことを深くじっくりと考えながら進路や学校を選ぶ自由と時間が与えられているように思える。そう考えると、まんざら不登校も悪くないなと思えてきた。

「好きなこと・やりたいこと」から伸びる場合も

進路選択にあたっても、不登校の間にやっていた好きなこと・やりたいことや、身につけた知識、考え方、技能、人間関係など、より広い視野から次の目標（やりたいこと）を見つけて行く人が多いです。その目標や目的があれば、勉強することの意味が感じられるので、勉強が楽しくなります。親御さんには、学歴をつけるという外面を整えることにだけ注意を向けるのではなく、子どもの内面で育っていることや成長を感じられるちょっとした変化に気づきながら見守ってほしいと思います。少しずつの成長が積み重なって、いつか大きな成長を感じられるときが来るのです。

通信制高校・サポート校では、学校独自の特色あるプログラムを用意しているところがあります。学校で好きなこと・やりたいことができると、通学のモチベーションが上がり学校へ通えるようになる子もいます。少人数制の通信制高校・サポート校でも、野球、フットサルなどスポーツのできる学校もありますので、元々好きだったスポーツができる学校を選ぶ人もいます。美術、囲碁・将棋、ネイルアート、お菓子作り、バンド活動、ダンス、メイクなどができる学校もあるので、興味のある分野がわかってきたら探してみるといいですね。同じ趣味を持つ人たちが集まる学校では、共通の話題があるので自然と友だちもでき、学校が楽しくなったという話もあります。「好きなこと・やりたいこと」は必ず見つかっていなければならないわけではありませんが、好きでやっていたことから元気になり、次のステップへ踏み出していくことは不登校の子どもたちに共通しているので、1つの手がかりとして考えてください。

親子で普通に会話ができて精神的に安定しているようであれば、「どうしたいの?」と子どもの気持ちを聴くことから始めるといいと思います。すぐに答えを出せない問題なので、「焦らずゆっくり考えたらいい。一緒に考えていこう」という親の姿勢を伝えてください。そして、親の思いを伝える際には「私は〜と思うけど、どうかな？」と〝私〟メッセージで、子どもの思いを尊重するという態度で伝えてください。

子どもへの伝え方

子どもには、担任の先生から連絡があったときや配布物があったときに、「学校（先生）から進路について聞いてこられたけど、どうかな？」「今は考えられないと思うけど、今は決めなくてもいいけど、高校には行きたいと思ってる？」と行きたい気持ちがあるかどうか、聞いてみてください。子どもはそのときの精神状態によって返事がないこともありますし、「今は考えられない」と言ったり、「高校には行かない」と言うこともあります。子どもには色々な高校の情報がなく、学校がしんどくなっているので無理もないと思います。あまり深追いしないで「そうだね、今は考えられないよね」と次の機会にまわしてください。

「行きたいと思ってる」と子どもが言ったら、性急に答えを求めないでどんな高校に行きたいか、どんな心配や不安があるかなど聞いてみてください。「今のあなたのままで行ける高校があるよ」ということは、伝えてあげると安心すると思います。

将来の人生設計というような話は、私たち大人でも結論を急がないで、互いに「こうしたらどうかな？」「こんなこと思っているんだけど」と、長い時間をかけて少しずつ相談しているのではないでしょうか。

子どもから「(不登校でも)行ける高校はあるのかな？」など関心を示す言葉が出たら、一度にたくさん出さずに本人が安心できそうなところから、少しずつ入手していた情報を伝えてください。高校の情報が沢山ある場合、親が聞いてきたそれぞれの高校の特徴、メリット・デメリットを一覧表にして見せたら、混乱しないでゆっくり考えられるようです。

また、あくまでも子どもの自己決定を尊重してあげてください。親の主導で進めるのではなく、子どもが自分で決められるように情報を知らせて、子どもの考えや気持ちをよく聴いて、子どもが自分で判断するお手伝いをしてあげてください。

親が上手くサポートをして動き出したM君の例を紹介します。不登校のM君は、高校進学はしないと言っていたのですが、ある日突然「ぼくなんかどこにも行ける学校はないんだ。どうしたらいいのかわからない！」と泣き出しました。そこでお母さんは、それまでに高校の説明会や個別相談に行っていたので、落ち着きはらって「あれ？行ける高校あるよ。今の学力でいいし。試験もないよ」と言いました。「え、ほんとう？」そんな会話の後、お母さんはM君といくつか高校見学に行き始めました。

合格通知の後の親の葛藤

子どもがまだ動き出せないとき、親だけ説明会などに行くことが多いです。

そんなときは、帰ってから子どもに通信制高校の詳細を知らせたいけれど、どのタイミングでどう伝えたらよいのか悩むこともあります。機嫌のよいときに声をかけてみたら、子どもがうまく興味を持ってくれて一緒に見学に行き、子どもがこの高校に行きたいと言えば、親として1つ仕事を終えたような安堵感があります。そして、面接や小論文などをまだしんどい子どもががんばってやり遂げ、合格通知が来ると親子で「よくやった！」と喜びもひとしおです。

すると、間もなくして学校から入学金や学費の案内がきます。

ここからまた新たな親の葛藤が始まるのです。決して安くはない納入金額を見て、「ほんとうに通えるのだろうか?」「またしんどくなって行けなくなるのでは?」…今は元気を回復して好きなゲームをしたり、春休みに友だちと遊びに行くなどしていても、学校へ行けなくなった当初の我が子の落ち込んだ姿が浮かんできて、心配が膨らんでいきます。

そんなとき、実際にその金額の札束をテーブルに置いてみて、「これが風に飛ばされてなくなったとしたら、どうだろう?」と想像してみてくださいと提案しています。諦められるか諦められないかは、その家の経済事情、きょうだいの数などさまざまな状況によって違ってくるでしょう。要は、親の腹がくくれる落としどころを掴むことだと思います。子どもを責めても事態は悪くなりこそすれ、よくならないことはすでに経験済みでしょう。ただし、子どもが行けなくなったときに留年がなく、親身に相談にのってくれて対応や関わりを考慮してくれる高校を選ぶことが大事だと思います。

高校のレベルより自分に合う環境

「大学へ行きたいから、絶対全日制でないと」と思っている子どもや親御さんがいます。しかし、エネルギーが充電できて学校環境が自分に合っていると、急速に伸びていくことが多いので、レベルにこだわるより「学校が自分に合っているかどうか」「(その場所に) 行きたいと思えるかどうか」で決めた方がいいと思います。

ほとんど学校へ行かずに昼夜逆転が続いている場合、通信制高校やサポート校など毎日決まった時間に行かなくてもよい学校で、最初は週1日から慣れていって、徐々に自分のペースをつくっていくといいようです。そのようにして、卒業していった子どもも多いのです。

第4章

不登校を経験した若者たちの進路

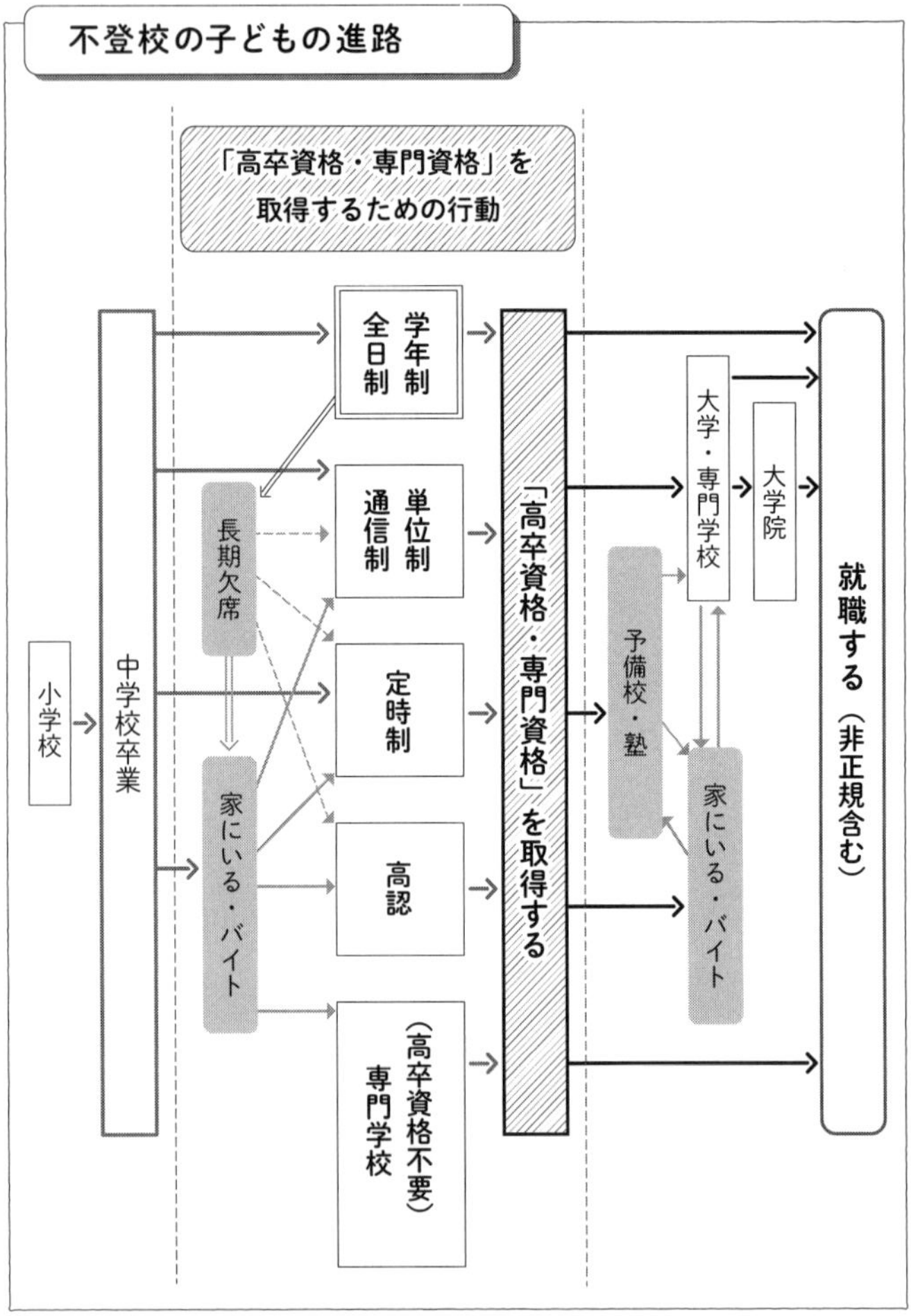
不登校の子どもの進路
「高卒資格・専門資格」を取得するための行動
小学校
中学校卒業
長期欠席
家にいる・バイト
学年制 全日制
単位制 通信制
定時制
高認
専門学校（高卒資格不要）
「高卒資格・専門資格」を取得する
大学・専門学校
大学院
予備校・塾
家にいる・バイト
就職する（非正規含む）

第4章
不登校を経験した若者たちの進路

これまで相談に来られる親御さんたちからお聞きしてきた子どもたちの進路経路を図にしてみました。

「こんなに色んな選択肢があるんだ」と知ると、今つまずいている現状から身動きできなくなっている気持ちが楽になり、客観的に考えられると思います。

子どもたちは小中学校でインプットされたルート、つまり全日制高校が一番よい進路先で、しかもできるだけ偏差値の高い高校がいいのだと思っています。空気のように浸み込んでいる高校のヒエラルキー観に影響を受けて、不登校の子どもは「出席日数が少なくて成績のよくない自分は、レベルの高い高校に行けないんだ」と思って自己卑下していることがあります。そして、通信制高校に行くと大学に行けないと思っている子どもも親もいまだにいます。そんな人に私は全日制高校を不登校になって通信制高校に転入した高校生が志望の大学に合格し、入学してみるとかつての全日制高校の同級生と大学のキャンパスでばったり出くわしたという象徴的な例を話すことがあります。

でも、ほんとうに大事なことは、その不登校経験者にとってその大学に合格したことがゴールではなく、その大学で何をしたいと思ったのか、何を勉強したいと思ったのか、なぜその大学でその専攻を志望したのかという目的や目標を持てるようになったことがよかったと思うのです。成績の輪切りで志望校を決めないで、不登校になったからこそ、主体的な動機を持って大学や専門学校などに進学することができるのです。

私が出会ってきた不登校経験者たちは、ただ学歴をつけるために進路を決めていったわけではありません。毎日ゲームばかりしているように見えて、彼らはずいぶん悩み考えていたことがわかります。進路選択にあたっても、不登校中にしていた好きなことや関心があることから得た知識、考え方、技能、学校以外の人間関係など、より広い視野から、次の目標（やりたいこと）を見つけていくのです。その目標や目的があれば、勉強することの意味が感じられ、勉強が楽しくなります。そして、彼、彼女たちがそうなるためには、親をはじめ、目の前の子どもを理解しようと努め、寄り添いながらサポートする大人や若者が必要なのです。

自分だけの進路選択

中学から高校へ進学する時期には、高校からの進路選択とは違い、まだそれほどはっきりした目的や目標が定まっているわけではありません。

例えば、小中学校をほとんど教室で過ごさなかった子どもが「普通の高校生活がどんなものか経験してみたい」と全日制高校に入り、卒業しています。

上のきょうだいが楽しそうに高校生活を過ごしているのを見て「高校は行ってみたい」という子どももいます。中学時代に部活の人間関係でしんどくなった子どもが、通信制高校を選択するときに、部活でやっていたスポーツのできる高校を選ぶ例もあります。中には自分がなぜ不登校になったのかを知りたいと思い、「心理学」という専門分野があることを知り、大学でそれを学ぶためには高校に行かないといけないと、早くから学ぶ目的を持つ子どももいます。

しかし、進路を決めなければならない時期に「葛藤期～安定期半ば」ですと、三者懇談に行けない子どももいます。そういう場合は、親だけ先生と会って、子どもの様子を伝え、親が集めている高校の情報や、例えば「通信制高校・サポート校も含めて個別相談に行っていますが、タイミングを見て子どもに勧めてみようと思います」など、親の考えを話しておくと先生も安心されるでしょう。子どもが希望しているなら、全日制・定時制高校の情報（締め切り、入試の情報など）を先生に聞いておくことも必要です。

先生から同級生の進路選択の情報を伝えられて、同じように進まない我が子の状態が不安になることもあるでしょう。「ほかの子どもたちとは違う歩み方をしているのだ」と理解して見守ってあげてください。

回復過程の概念がないと、先生によっては「今学校に行けないと、高校に行くことは無理」と言われて、心配する親御さんもいます。しかし、今無理して登校を促すことで子どものエネルギーが充電できなくなってしまい、やっと高校入学は果たしたけれど、その後の通学が続かないこともしばしば聞きます。かえって、休めるときに休んでいたほうがエネルギーが充電できて、いざ進学というときに動き出せるのです。ぜひ子どもの動きに合わせて、サポートしてあげてください。

不登校だった子どもの進路選択をみると、知らずしらずのうちに自己発見のための課題を達成するにふさわしい学校を選んでいるように思います。

親御さんには、学歴をつけるという外面を整えることにだけ注意を向けるのではなく、子どもの内面で育っていることや、成長を感じられる小さな変化に気づきながら見守ってほしいと思います。

高校から転編入をするときも同様です。

全日制学年制高校に入学後不登校になった場合、留年が決まるまでに相当エネルギーを使い果たしています。そこからの転学になるので、ゆっくり休息する安定期を過ごせないまま新しい学校生活が始まります。転学しても毎日の通学は無理な場合が多いので、リハビリの期間と思って徐々に慣れていくようにしてください。

新入学・転編入・再登校の心構え

学校復帰するとき「これからは心機一転がんばって登校しよう」「登校しなければだめになる」と心に決めていたりします。そんなふうに思い込んでいると、早晩苦しくなって息切れしてしまうことになりがちです。それよりも、高卒後の進路も視野にいれて、高校生活を自分なりにどう過ごしていくか、どんな過ごし方が自分に合っているかを基準にするほうが続けられるようです。「高校卒業資格を得る」という目的にフォーカスして、そのためにはどうしていったらいいかを考えると「休むこと」に対する抵抗感が軽くなります。「学校を中心に生活する」という意識から、「学校を『活用』して生活をつくっていく」というように意識変革すると、主体的に生活していくことができます。

これまでの経験から言えることは、登校する日数よりも、どのくらいエネルギーが充電できているかが進学後の生活に影響してきます。

回復過程に応じて通学①渋滞・葛藤期〜安定期初期の入学後

一番エネルギーが落ちている時期に、合格通知をもらうまで最後の力をふり絞ってがんばってきた子どもは、新学期が始まっても動けないことが多いのです。「春休みに学校から解放されて、友だちと遊びに行くなどして元気な様子を見せていたのに、入学式は行けたけどその後1日も行っていません」という親御さんの嘆きをしばしば聞きます。

本来ならば心身をゆっくり休めてエネルギーを回復しないといけないのですが、毎日通わなければならない全日制や定時制高校（通信制でもときどきありますが）ですと、欠席日数が気になり、焦りと不安で葛藤状態が続きます。

しんどい子ども・集団が苦手な子どもへの個別対応をしてくれる高校でしたら、休んでいる間でも担任の先生と親が連絡をとって、子どもの状態と家での過ごし方を報告しておくといいです。子どもが好きなゲーム、アニメ、コミック、本、アイドルなどを先生に知っておいてもらうと、先生が子どもと話す機会がある時、話のきっかけづくりに役立つと思いますし、同じような趣味を持つ子どもと話す機会を作ってくれるかもしれません。

〈Eさんの場合――自分探しの一年に――〉

Eさんは、高1の3学期から全日制高校に行けなくなり、「葛藤期～安定期初期」の頃に自ら選んだ通信制高校に転学しました。この時期の入学後の過ごし方は、中3

の同じ回復過程の子どもが高校に入学した場合でも参考になると思います。

Eさんは、志望する高校に入学し、部活も勉強も精一杯がんばっていましたが、ハードな生活に疲れ果ててしまい、高1の3学期から朝起きられなくなってしまいました。休み始めて1か月ほど経った頃、Eさんはネットで見つけた通信制高校を見学したいとお母さんに言いました。お母さんはEさんのつらい様子を見ていて、今の高校を続けるのは無理かなと思い始めていたので、一緒に見学することにしました。

個別相談に行くと、先生が今のEさんの状態をよく聞いてくれて、転学してからの不安や心配なことも懇切丁寧に説明してくださったので、Eさんもお母さんも安心してそこに転学することにしました。

4月になって新しい学校に行き始めたEさんでしたが、1週間ほどすると続けられなくなりました。環境が変わり、課題も少なくなり、身体は楽になったはずなのになぜか行くことができない。「自分で決めた高校なのに、なぜ行けないんだろう」という思いが、Eさんを苦しめます。理解を示し、学費の高い通信制高校に転学することを許してくれた両親に申し訳ない思いでいっぱいで、気持ちは焦るのですが、そうなるとなおさら心身の葛藤状態がひどく、家を出られない日が続きました。

そんな頃に、Eさんはお母さんと一緒に筆者のカウンセリングに来てくれました。

当時のEさんの状態は、回復過程からいうと「葛藤期」から「安定期」の入り口くらいでした。その時期に転学を決められるほうが珍しいのです。今後の過ごし方は、できるだけ「安定期」の状態に近付けるほうが望ましいのです。つまり、全日制高校の通学とは発想を変える必要があります。

そこで筆者は、前の高校で長期にわたってEさんに過度なストレスがかかっていたこと、ぎりぎりまでがんばっていたので疲労が限界をこえてしまったことなどから、本当は半年から1年くらい家でゆっくり休んでからでないと動き出すエネルギーが溜まってこないということを伝え、次のような過ごし方を提案しました。

- 「毎日通学しなければならない」という意識を手放して、高校卒業に向けて「最低限必要なことは何か」を考える。
- 1年目はエネルギーを溜めることを中心に考えて生活し、最低限のレポートを出す。
- 試験の成績は気にしないで単位を取るための最低点を取れればいい。

●学校に行くのは、レポート提出と試験を受ける日だけでもよい。
●もちろん、好きな科目ややりたい課外授業があれば、行けたらOK。
●家では、好きなことややりたいことを何でもやってみる。ゲームや動画でもいい。

そして、「自分はこういうことが好きなんだ」「これをもっと知りたい」「気が付いたら、これに熱中しているな」というふうに、「好きなこと・やりたいことをして、自分に合っていることを見つけるための、自分探しをするための1年にしたらいいのではないか」、そんな提案をEさんとお母さんにしました。Eさんはその後、自分の状態に合わせて休みながら通学していたようです。両親は心配しながらも登校刺激をせず、ゆっくりEさんの回復を見守りました。

転学して2年目に入り、Eさんは通学日が増え、レポート、試験、スクーリングも順調に行っているそうです。そして、大学で勉強したいことも決めていると聞きました。

Eさんの例でみるように、不登校からの進学や転学の場合、毎日通学することを目指すより、心身の調子を見て休みを入れながら柔軟に行ったほうが続けられるのです。

同様に、「安定期〜始動期」の過程でも「動いては休む」を周期的に繰り返しながら自分のペースがわかって来ます。「これ以上無理すると、しばらく動けなくなるから休んだほうがいいな」というふうにペース配分できるようになり、卒業まで継続して通学できるようになります。

回復過程に応じて通学②安定期中期からの再登校

この時期の子どもですと、まだ勉強できるほど気持ちが安定していないことが多いです。そういう場合、好きなことから学校に馴染んでいくと、徐々に勉強に向き合えるようです。

〈Ｗ君の場合——好きなことから始める——〉

Ｗ君は、中２の夏休み明けから学校に行けなくなりました。自営業のお父さんは野球の好きな人で、Ｗ君が小さいときから一緒にキャッチボールをして遊んでくれました。Ｗ君は少年野球に入り活躍するようになり、ますますお父さんは応援するようになりました。中学では野球部に入り、中１から活躍していましたが、先輩との関係が悪くなり、だんだん学校に行けなくなってしまいました。お父さんは、そんなＷ君をふがいなく思い叱咤激励すると、W君はだんだんお父さんを避けるようになりました。

ある日個別懇談に行ったお父さんは、担任の先生から「父親が甘いと不登校になる」と言われ、W君に手を上げたことはなかったのですが、あるときふてくされた態度に腹を立ててW君をひどく叩いてしまいました。

それ以来W君は口をきかなくなり、お父さんの顔を見ると反抗的な目を向けるようになってしまいました。

W君はお母さんとは話ができるので、進路選択の際には相談して個別対応を丁寧にしてくれそうなサポート校に決めました。嬉しいことに、その学校のセンター長の先生は野球が好きで、野球チームがありました。W君は入学後、全く勉強は手につかない状態でしたが、先生が野球に誘ってくれたので、学校には行かず毎週1日、野球の練習場に行っていました。1年ほどそんなふうに過ごしていましたが、2年目からレポート提出や試験前の授業に出られるようになり、3年間で卒業単位を取って卒業しました。

W君のように好きなこと・やりたいことから、学校に行けるようになる場合はしばしば見られます。お父さんも学校の保護者会に出たり、親の会に出たりして、子どもに対する考えが変わっていったので、時間はかかりましたがW君との関係はよくなっていきました。

回復過程に応じて通学③始動期からの入学後の生活

長い安定期を過ごして充分エネルギーを充電している場合でも、通学や教室での環境に慣れるまで時間がかかったりします。早く新生活に慣れてがんばろうとしたHさんですが、自分のペース以上にがんばりすぎて息切れしてしまいました。

〈Hさんの場合――本人と親とのギャップ――〉

Hさんは小学校6年から中学卒業まで、長期の不登校の生活でした。その期間を経て初めて高校に登校した日、「まだぁ～。早く出てよ～」という声にお母さんは感動しました。父親の出勤時間と登校時間が近いので、朝のトイレが込み合うのです。そして、「行ってきまーす」と何年かぶりに聞く声。本当にこんな日が来るんだと、嬉しさで胸がいっぱいでした。

最初の1～2週間くらいはちゃんと馴染んでいけるだろうかと心配しながら見ていましたが、あんなに昼夜逆転していたのがうそのように、自分で起きてきて、毎朝出かけていくのでした。1か月ほど経つと、お母さんの中で「もうあの子は大丈夫、中学時代あんなにゆっくり休めたんだから」と安心感が広がり、Hさんが登校することが当たり前になってきました。

ところが、4月末から5月上旬にかけてゴールデンウィークを過ごし、明日から学校という日に、Hさんは「学校がしんどい」と泣きだしました。とぎれとぎれに話してくれることからわかったことは、Hさんは入学前から「自分は学校で本当にやっていけるのだろうか」と不安だったのです。学校というところは、同じ年齢、同じ経験をしてきた人の集まりです。ほかのコミュニティにはない場と言えます。そこから長い間離れていたので、同年代との付き合い方がわからない、砕いて言うと、「ノリ」がわからない。「ノリ」＝空気が読めないということが、クラスの中で浮く要因になったりします。「みんなに合わせないといけない」と神経をつかっているので、教室の中にいるだけで疲れてしまうのです。

授業を受けることも久しぶりなので、先生の一挙手一投足を緊張して見ています。また、Hさんは通学時間が長くラッシュ時の電車にも慣れていかなければなりません。毎日元気そうに登校していたけれど、「1日でも休んだら、また前のように行けなくなってしまうかも」と必死でがんばっていたのです。

お母さんは、Hさんがそんなふうにぎりぎりの思いでがんばっているんだと、初めて気が付きました。小学6年のとき、学校・塾・お稽古事など、なんでも気を抜かずに一生懸命がんばっていたHさんが、だんだん学校に行けなくなってしまったのをお母さんは思い出しました。もともと「ちゃんとしなきゃ」という思いが強いHさんだから、学校での気の抜き方がわからなくて、ずっと神経を張りつめていたのかもしれません。お母さんは「Hがそんなにがんばってたなんて、知らなくてごめんね。これからしんどいときは休みながら、だんだん学校生活に慣れていこうね。無理しなくていいよ」と言いました。がんばりすぎて不登校になる「息切れタイプ」の子どもは、力の抜き方がわからず「いい加減」にできないようです。がんばって、疲れたときに休めると、また動き出すことができます。
そのようにＴｒｙ＆Ｅｒｒｏｒを繰り返しながら「これ以上がんばると動けなくなる」状態がわかってきます。つまり、「自分のペース」が掴めるようになります。逆に「みんなと同じようにしなきゃ」と自分にプレッシャーをかけている間は、疲れて休んでいる状態を「怠け」と感じてしまい、心身が休まらないので、そのまま動けなくなってしまうのです。不登校を経験した社会人に再登校の時期を聞いてみると、「親には『エベレスト単独無酸素登頂』に挑んでいるくらいの認識を持ってもらいたい」と言います。そう思うと、週1日でも目指す頂上に向かおうとしている子どもが健気に見えてきませんか？

回復過程に応じて通学④再び立ち止まるとき

高校に行きだしたけれど、またどこかで立ち止まることがあります。それは、その子どもにとって自分の人生を考えるための必要な時間なのです。

〈K君の場合――卒業後にも考える時間を――〉

K君は高校の生活にも慣れ、友だちもできて後1年で卒業という高校3年生です。次の進路選択の時期でもあり、そのプレッシャーで息詰まってしまいました。

中学のとき1日も学校に行かなかったけれど、通信制高校に元気に通っていたK君。高3になり高卒後の進路選択の時期が来ましたが、周囲のなにやらあわただしい雰囲気に馴染めず、登校できなくなってしまいました。自分がこれからどうしたらいいのか、何をしたいのか、わからなくなってしまったのです。

なんとなく進路選択の流れに乗って進んでいく子どもたちが多い中で、自分の進む方向をゆっくり考えたい人もいます。毎日登校し、受験勉強に向かっている人に比べて登校できない自分を恥じて歯がゆく思うK君でしたが、幸いなことに、そこで立ち止まるK君の思いを親も先生も理解してくれました。K君は高校を卒業してから1年かけて次のステップに向かうことを決め、高3の1年間は卒業だけを目指すことにしました。K君は目的が決まると、悩みから解放されて登校できるようになりました。卒業後1年間受験勉強しながら、大学へ行く目的をみつけて志望の大学に進学しました。

不登校を経験した人たちは、世間体や周囲の評価といった外的要因ではなく、自分のやりたいことや目的など、内的モチベーションがないと動けないのだと思います。結果的にみると主体的な生き方をしていて、自分で納得感のある人生を送っている人が多いように思います。

今は成人したけれど、かつて学校へ行ったり休んだりを繰り返していた子どもたちと、長年付き合ってきた母親たちの声を紹介します。

初めの混乱期を経て家で落ち着き、やがて動き出せばそのまま真っ直ぐに回復するものだと思っていた。しかし、進んだと思ったらまた戻り、ああまたか…とがっくり。でも何度もそんなことを繰り返していると、一番どん底の時には戻らないものだし、「またそのうち前に進もうとするのだ」と思えるようになった。行きつ戻りつしながら、子どもは自分の足元を踏み固めつつ前に進んでいるし、しっかり踏み固めるためには行きつ戻りつが必要なのかもしれない。

新学期が始まると突然何事もなかったかのように登校するが、1週間ほどでまた行けなくなるということを、小学校〜中学校の間はずっと繰り返していた。放課後登校や適応指導教室、別室、フリースペースなど、新たな動きがある度に行くのか行かないのかと一喜一憂していた。子どもの動きに感情が振り回され、くたくたになった時期もあったけれど、いつの間にか慣れっこに。「どうせまた行かなくなるだろう」という諦めや開き直りで、過剰な期待はしなくなった。そうすると、「また行けなくなった」というよりは、「(今の自分には必要ないから)やっぱり行かない」という子どもの選択を尊重するというシンプルな関わり方ができるようになり、楽になったように思う。

高校卒業後へつながる道

不登校を経験した人は、高校卒業後どのように社会へ出て行ったのでしょうか？
ここでは、様々な進路を選んだ16名の経験者たちを紹介します。

Aさんは中1のとき、いじめから不登校になりました。このときに、のちに目標となるスクールカウンセラーに出会い、学校に行ったり行かなかったりを繰り返しながらも、個人塾で勉強していました。また、不登校の間も理解あるピアノの先生のもとでピアノを続けており、心の支えになっていました。

高校は私立全日制高校に入学します。しかし、荒れている教室、再びのいじめによって中退。その後、通信制高校の高認受験コースで高卒資格を取得しました。そのコースの中で上の年代の人から幅広い経験を知って、視野が広がったと言います。

高卒資格取得後、不登校のときサポートしてくれた中学のスクールカウンセラーが将来のモデルとなり、大学では心理学を専攻します。大学で学ぶうちに福祉に興味を持ち、在学中に社会福祉士の資格を取得しました。

卒業後は、ひきこもり支援を行うNPO法人の職員を経て、現在スクールソーシャルワーカーとして困難を抱える生徒のために、学校と他の支援機関との調整や生徒対応をしています。

Bさんは一斉保育の幼稚園で年少から登園できなくなり、その後は自由保育の幼稚園へ転園し楽しく通います。

小学校へあがると小2より行き渋りが始まり、小3で母子登校を経て完全不登校になります。その当時、行政の子育て支援センターで母子ともに支援を受けるとともに、プレイセラピーに通ったりしました。その後フリースクールに通う中で学生ボランティアと出会い、ほかの不登校の子どもたちと交流し、並行して児童相談所より学生ボランティアの家庭訪問も4年ほど受けていました。

中学校では、入学当初しばらくは登校しますが、すぐに不登校に。その頃はピアノのレッスンだけが唯一の楽しみであり支えであり、自信にもなりました。

中2の2月頃より個別塾に通い始めます。そして中3からは別室登校をし、教頭・スクールカウンセラー・学生ボランティアなどの支援を受けて、中3の後半は少し教室へ入れるようになりました。

進路選択の際には、全日制・通信制・サポート校を見学する中で、行ってみてしんどくなったら通信制高校に転学するつもりで全日制高校を志望し、新設の私立高校普通科に進学。吹奏楽部に入部し、楽しい高校生活を送ります。卒業後は、国際情勢や社会学に興味を持ち大学へ。在学中には海外でのボランティアを経験します。そして、就活のときに50社以上にエントリーシートを出し、企業に就職。入社当初より希望していた海外勤務を1年間経験しました。

Cさんは小学3年で行き渋りが始まり、中1の秋まで学年始めや学期始めにしばらく登校しますが、そのあと長く休むという形を繰り返します。

小4のときに、アメリカのバンドのライブ映像を観て衝撃を受けます。兄に「今からギター始めたら高校でこのくらい弾けるようになるよ」と言われ、小5からギターを習い始めます。中1の夏に子どもたちのキャンプに参加し、大切な友人ができるとともに知らない人とも話せるようになり、自信ができました。その頃から作曲を始めています。

そして中1の秋に「学校をやめる」と宣言して、中2の終わりまで登校しませんでした。その間にプロのミュージシャンに師事し、ギター・歌・作曲などを勉強し始めました。ギターを続ける中で自然にミュージシャンになることが目標になったと言います。その後中3から登校し、卒業式で歌う卒業ソングを制作するなどします。

高校は公立全日制高校に入学し、軽音楽部で活躍。高校でも卒業式で歌う卒業ソングを制作し、その曲は卒業生全員にオルゴールにして贈られました。

卒業後は、大学に行かずにプロのミュージシャンを目指すと決め、友人・後輩とバンドを組み、ライブ活動やCD制作をしました。現在はプロの作曲家としてメジャーアーティストに楽曲提供しています。

Dさんは小6から不登校になり、その後は私立中学に進みますが、1年生の夏休み前から再び不登校に。中3進級時、もう学校には行かないと決めて公立中学に転校します。

中学卒業後は、父親の法律関係の仕事を手伝っているうちに、今後社会で仕事をするには学歴がいると思い、大検予備校へ入って大検（今の高認）を取得します。大学では、興味があった民俗学を専攻します。3回生後期には、民謡の調査研究のため現地で半年間滞在し、人々の温かい人情に支えられたそうです。

卒業後は一般企業に就職。その会社で働き続けることに展望が持てず転職を考えますが、就活のときに普通の経歴でないことを問題にされたトラウマがあったことと、困っている人の役に立てる仕事がしたいという思いから、父親と同じ国家資格を目指します。2年後に資格を取得し、今は法律専門職として働いています。

Eさんは幼稚園から登園渋りがあり、小学校・中学校まで行ったり行かなかったりを繰り返していました。その間は学生ボランティアとの交流や英会話教室を継続し、不登校生のためのキャンプも毎年体験していました。そして、中3の頃にキャンプで出会った高校生の話を聞き、高校に行きたいと思うようになります。

絵やものつくりが好きだったFさんは、中3の時にネットで美術専門の高校を見つけて、その高校に行きたいと親に言いました。そして志望の美術高校に合格し、入学しました。高校で勉強するうちに伝統工芸に興味を持ち、工芸コースのある大学に進学します。大学卒業後は地元の職場に就職しました。

Fさんは中学3年の1学期から行き渋り、「もう学校に行かない」といった日から完全不登校に。当時3DCGに興味があったため、父親に半分お金を出してもらって、Macを購入。中学生ながらお金を稼ぐ手段を探すうちに、Webデザインに興味を持ちます。そして高校へは進学せず、就職をしようと考えハローワークへ行きますが、ハローワークの所長に高卒資格を取るように諭されます。

そこで、通信制高校を探す傍ら、Webデザイン事務所に連絡してインターンシップとして働く約束を取り付けます。学校は最低限卒業に必要な単位と出席を取ることだけに集中して、デザイン事務所に時間を充てる高校生活を過ごしました。高2から、個人的にお客さんから仕事を頼まれるようになり、個人事業主として開業。高3で、自分よりスキルのある人がいる環境に身を置きたいと考え、憧れていたWeb制作会社にアルバイトとして入社しました。

高3の進路を考える頃、担任からWebデザイナーの経験が活かせるAO入試を勧められ、大学を受験して合格。しかし、偏差値の高い大学の勉強についていけず退学を考えましたが、学生という身分を1年延長しようと思い、休学しました。休学中に誘われた企業に入社し、Webデザイナーの仕事をしています。


Gさんは、中高一貫校の中2から不登校になりました。中学卒業後、高校へは進学しないと決め、アルバイトを始めます。その頃、インターネット上で何でも話せる年上の友人と出会います。その後、別のネット友だちに刺激を受けて、アルバイト続けながら通信制高校に入学しました。入学後はネットの友だちの影響で大学に行きたいと思い、在学中に大学受験の塾にも通うようになりました。高3のとき、高卒資格認定試験を受けて単位補充し、高卒資格を取得します。

大学では以前から東洋思想に興味を持っていたので、哲学科を専攻しました。現在は大学5回生。大学院哲学科の入試に合格し、来年度入学の予定です。

Hさんは小学校2年のとき行き渋りがありましたが、小4までは登校していました。しかし、小5のとき友だち関係のトラブルや担任の先生と相性が合わず、不登校になりました。中学校は3年間行かずに卒業。その間さまざまな好きなこと・やりたいことをする中で、映画を400本以上見るなどして過ごしました。

高校は通信制高校に入学しましたが、高3の進路選択の時期にしんどくなり、進路が決まらないまま卒業します。大学受験に向けて動き出したのは高校卒業後のこと。そして、不登校時代に好きだった映画を学べる大学に入学します。在学中は友だちの自主上映の手伝いを経験して、接客業のおもしろさに目覚めます。

大学卒業後は飲食チェーン店に正社員として就職しました。しかし、ブラックな働き方で2年で退職。その後は映画館でアルバイトをしたり、家にいるなど繰り返して次の道を模索していました。資格を取得して自分に合った職場に移った兄を見て、自分も資格取得を目指すようになり、今は高齢者施設の職員として勤務しています。

Ｉさんは中1から不登校に。中2の頃は行ける日だけ別室・保健室登校、後には教室に入ることも挑戦しました。中3からは行ったり行かなかったりがありましたが、友だちや先生の協力を得て教室へ。

美術が好きだったので、高校は美術コースのある全日制高校へ入学。高校卒業後は美大へ入学し、そのまま美大大学院へ進みます。高校、大学、大学院と単位を取れるギリギリまで欠席して卒業しました。大学院卒業後は、国内の各地に出かけて、作画したりチームで創作活動をしています。

Ｊさんは中学1年の2学期から卒業まで不登校でした（アニメの声優のファン、ＰＣが好きでした）。

高校は公立の通信制高校に進学。同期生が60代や小さい子どものいる人もいて、学びはいつからでもできるんだと思い、クラスの中で疎外感を感じる心配がなかったと言います。また、クラスの人から「（学校へ）おいで」と言われなかったので、追い詰められることなく自分のペースで通うことができました。授業で苦労することもありましたが焦らず、卒業を目標にして4年かけて卒業します。

　高校卒業後は1年間ほど家にいた後、アルバイトを始めます（お菓子製造やお土産物屋、スイミング受付など）。並行して製菓学校に通い、本格的なケーキ作りが趣味になりました。現在は会社員として働いています。


Kさんは小2秋〜小3まで不登校、小4から登校しましたが、小6の3学期から中学卒業まで再度不登校になりました。不登校の期間中、家庭訪問していた担任の影響でバードウォッチングに興味を持ち、家族で遠方まで観察に行くようになります。そして中学2年からは行政の施設（適応指導教室のようなところ）に通所し、異年齢の集団での最年長として年下の子どもたちから慕われ、楽しく過ごしました。中3からは家庭教師と個別指導塾で学びました。

　高校は私立の全日制高校に進学します。そこで生物系の勉強に興味を持ち大学に進学。大学卒業後は同じ大学の大学院に進学しますが、教授と相が性合わず、研究に対するモチベーションもなくなったため中退しました。
その後はプログラミングのスキルを身につけるためにＩＴ関連会社に就職。しかし、ブラック体質の企業だったので退職し、現在の会社に転職して働いています。

Ｌさんは、私立中高一貫校に通っていた中学３年のときより学校がしんどくなりました。同じ全日制高校に内部進学しましたが、高校１年２学期から不登校に。その後高２のときに復帰しますが１か月目で行けなくなり、２学期に中退しました。

中退後はしんどさを理解してくれる個別塾に通い、高卒認定合格。その後、不登校ひきこもり支援をしている臨床教育学教授の講演を聴き、不登校の子どもをサポートしたいと教員を志し、教育学専攻の大学に入学します。

大学在学中に学習塾でアルバイトに励む中で、塾に来られない子どもがいることが心配になっていました。そして教育ではなく心のサポートが必要だと感じ、３回生から専攻内の臨床心理学コースを選択しました。卒業後は大学院へ進み、

―臨床心理士として就職しました。

Mさんは小2のときに集団の中に長時間いるのが苦手で、行き渋りがありました。その後小3から中学卒業まで登校。特に中学では野球部に入り楽しく過ごしました。

高校は地元の進学校である公立高校に入学。しかし、厳しい規則や集団行動の訓練、管理的な校風に馴染めず、1週間で不登校に。当時は「行ったり行かなかったりという自分のイメージに耐えられない。そういう恥ずかしいことはできない」「クラスの中でどんどん階層がさがっていく」と思い、全く登校しませんでした。そして、TVを見たりゲームをしながら半年ほどひきこもった後、徐々に外に動き出して自主学習を始めます。

その後は通信制高校の通信コースに転入し、1年半後には通学コースに変更。最初は休みながらでしたが徐々に慣れて、卒業までには毎日通学できるようになりました。

高校卒業後は、悩みを解決するヒントを求めて東洋思想の古典を読み親しんでいたこともあり、大学では東洋文学を専攻します。下宿生活で、心身症のような症状が出て社会的ひきこもり状態になりましたが、最低限必要な授業のみ出席して卒業します。

その後は別の大学の仏教系大学院へ入学し研究者・僧侶を目指しますが断念、一般企業に就職。入社した会社の社風が合わず転職活動し新しい職場で就職する予定。

Nさんは中2のとき、担任への不信感から不登校になりました。

高校は全日制高校に入学しましたが、1学期のGW明けから徐々に行けなくなり、秋学期に退学。翌年、通信制高校に入学します。在学中は友だちと遊んだり、一人で釣りに行くなど好きなことをして過ごしながら勉強しました。4年次に生物系の大学を受験しますが失敗してしまいます。

その後は予備校に入学。しかし、教室に入ることにストレスと恐怖を感じ、G

W明けから徐々に通えなくなりました。約2年間一人暮らしのアパートにひきこもり気味でしたが、その間も予備校の先生が気にかけてくれて、3年目から1対1の授業を開始し、徐々に通えるようになりました。それらの経験から「不登校やひきこもり期間にお世話になった人に恩返しがしたい。自分のように不登校で苦しんでいる子どものサポートがしたい」と思うようになり、臨床心理学専攻の大学を目指し、予備校5年目に大学に合格しました。大学卒業後は同専攻の大学院も卒業し、現在は資格取得のための受験勉強をしながら、医療機関で就業しています。

Lさん、Mさん、Nさんは169ページからの座談会に登場します。座談会では彼らの素直な気持ちが語られますので、ぜひ参考にしてください。

続いて、ホームエデュケーションで成長した進路の例も紹介します。

幼稚園や学校に行かないことは、不登園・不登校という「否定的な」捉え方をされることが多いですが、ホームエデュケーションとはそこで幸せに過ごせないと感じた子どもたちが、楽しくその子らしく過ごせる「積極的な」場所として、家を中心に学ぶという考え方です。フリースクールは遠い、月謝が高いなどの理由で通えない場合にも可能です。同じような家庭が集まって一緒に遊んだりお出かけしたりする共同保育の延長のようなものと考えてください。親の視点から一番良かったことは、子どもたちがやりたいことをやりたいだけ、満足いくまでやれたことがあげられます。ただし、子どもとの距離のとり方や親の仕事については課題があります。

Oさんは小学校1年から不登校になり、4年生のときに父親の海外赴任のため一家で海外生活をします。しかし、地元の公立小学校が合わず、公的に認められた「ホームエデュケーション」を選択します。5年生のとき帰国し、翌年に親が始めたホームエデュケーションのグループに参加していましたが、日本では「不登校」と呼ばれました。その間、時々近くのフリースクールの行事などにも参加していました。

中学では部活の時間だけ登校しました。高校はアルバイトをしながら定時制高

校を卒業。その後は外国語大学夜間部を卒業し、電車の運転手になりました。

〈Oさんがやっていた好きなこと・やりたいこと〉

ゲーム（カード、ビデオ）、電車のおもちゃ（ブリオ）、時刻表、路線図、レゴ、積み木、剣道、キャッチボール、キャンプ、形態模写など。体を動かすことが好きだった。


Pさんは小学校1年生から不登校になりました。小中学校時代は親が始めたホームエデュケーションのグループや、近くのフリースクールにも時々参加しながら過ごします。その後、通信制高校に進学。AO入試で大学へ進学し、現在は機械設計の仕事をしています。

〈Pさんがやっていた好きなこと・やりたいこと〉

ゲーム（カード、ビデオ）、折り紙、泥だんご、電車のおもちゃ（ブリオ）、レゴ、積み木、ジャグリング、ルービックキューブなど。いつも木や金属で色々なものを作っていた。

一口に進路の経路だけでは書ききれないのですが、彼、彼女らの主体的な思いや不登校の間の豊富な経験が進路選択に活きています。不登校の子どもたちが元気になって成長し、自ら道を選ぶときに他者評価ではなく自分がやりたいことを選んでいるのです。

●こっちが得だから
●世間体がよいから
●周囲に承認されるから
●条件がいいから

といった外部要因ではなく、

●こんな人たちと仕事をしてみたい
●こんな人（子ども）をサポートしたい

- 支えてもらった恩返しをしたい
- 身につけた技術技能を活かしたい
- この仕事をしたい
- この生き方が自分に合っている

というふうに内的に湧き出る思いがあって、彼らは行動しています。

自分もだれかのために

- 自分がSOSを出したとき、それに気づいて必要なサポートをしてくれた人
- しんどさを理解してくれて辛抱強く待ってくれた人
- 自分のペースを大事にしてくれてそっと後押ししてくれた人

さまざまな人に支えられて、今の自分があると感謝できるまでにエネルギーを充電できたとき、自分もだれかのために役に立ちたいと願って、道を決める多くの不登校経験者たちに筆者は出会ってきました。

学校へ行けなくなったとき、望んだことではないけれど、彼らは定型的な人生の道から外れてしまいました。同級生のみんなと同じでなくなった自分、一緒に歩けなくなった自分を認め、受け入れるまでには、いくつも葛藤を乗り越えていかなければならなかったのです。自分の体と心の声を聴いて、自分で決めて行動しないとバランスを崩す彼らなのです。

そんな子どもたちが学校以外の場で経験を積み重ねて、やがて自分らしい道を見つけて踏み出すときには、大きな勇気が要ります。

いつまた立ち止まるかもしれない恐怖を抱えながら、一歩一歩孤独な道筋を歩いていかなくてはなりません。再び「学校」という場に足を踏み入れたとき、親はやっと「普通」に戻れたと安心しますが、かつて「学校」で傷つき疲弊した経験のある本人には、そこからまた新しいチャレンジと経験が待っています。

そんなふうにがんばっている子どもには、「がんばれ」という励ましよりも、「十分がんばってるよ」「無理しすぎないで自分の歩幅で」とそのがんばりを認めることが次のエネルギーを生み出す源になるのです。

さらに大切なのは、彼らを見守り支える親にもサポートが必要だということです。一人では難しい局面でも、誰かと子育ての喜びも悲しみもわかち合い共有できると、乗り越えて行けます。どうぞ、近くの親の会・教育相談・カウンセリングなど何でも話せてほっと安心できる場を見つけてください。そして子どもに関わってくださる先生方にも、子どもたちと一緒に暮らし、山あり谷ありの苦楽を共にしている親たちへの応援をお願いしたいと思います。

不登校の子どもに「寄り添う」ということ

「不登校の子どもに寄り添って支援する」

「子どもの心に寄り添っていく」

などと言われますが、一口に「寄り添って」と言われても、どうしたらいいのかわからないというのが実情ではないでしょうか。どうしたら寄り添うことになるのかを考えるために、逆に寄り添っていない対応を考えてみたいと思います。


親の会や相談会に来られる親御さんの中には、現状の心配事や困りごとで考えや気持ちがいっぱいになっていて、子どもに起きたできごとばかり話される方がいます。例えば次のような人です。

中学受験して中高一貫の志望校に合格したにも関わらず、1学期途中から行けなくなった。夏季補習に行けば出席と認められるのに、それも行けなくなってしまった。中学は、ほとんど教室に入れなかったが部活だけは行けていて、それで出席が認められて高校に内部進学で入れた。

しかし、1学期が始まってすぐに行けなくなり、留年が決まってしまった。2年から通信制高校に転入したのに、そこも行けなくなった。しかし、偶然同じ中学から来た友だちがいて、その子がしょっちゅう誘いに来てくれて、やっと行けるようになり卒業できた。

大学に入ってからは、色々ありながらも4年で卒業でき、就職したが続かず、3か月で合わないと言ってやめてしまった。今はずっと家にいるが、ほとんど自分の部屋にこもっており、家族との会話もない。ちょっと何か言うと、怒鳴って

怒る。暴れることもある。この先どうしていけばいいのか、わからなくて困っている。

（複数の相談から作った事例です）

このような話をお聞きすると、親御さんの心配や困っている様子には共感しつつも、「学校に行った。行けなかった」という2項のみで語られる本人の心の中を思うと、理解されないつらさや絶望感があるのではないかと思います。

●何があって学校に行けなくなったのか？
●そのときどんな気持ちでいたのか？
●周囲の親や先生はどんな対応だったか？
●当時は何をわかってもらいたかったのか？
●誘いに来てもらった友だちとは、どんな関係だったのか？
●来てもらって、よかったか？　つらくはなかったか？
●どんな働きかけで、動き出したのか？

●学校の先生との関係は？
●家族関係は良好だったか？
などなど、周囲の大人が、考えなければならないことがたくさんあったはずです。
それらを無視してしまって、子どもを学校に行かせることばかりに力を注いでいると、子どもの心の中は見えてきません。子どもが毎日ゲームをしているとき、どんなゲームをしているのか、そこでどんな人と関わって、どんな関係性を経験しているのか？子どもは何を考え、味わい、感じているのか？　言葉では、なかなか言わないかもしれません。どうせわかってもらえないと諦めると、何も言わなくなり、反抗心と寂しさだけが頑なになった心に残ります。

言わないから、何も感じてないのではありません。

言えないから、考えてないのではありません。

　子どもの内面を理解しようと想像したり、子どもが話してきたら、アドバイスや意見を言わないで、じっと関心を持って聴くことで、子どものしんどさ、つらさ、考え方、ものの見方、感じ方、興味、関心、好きなこと・やりたいこと、などがわかってきます。

　そんなふうに子どもの内面を理解しようとする向き合い方が「寄り添い」ではないかと思います。だから、親子であっても一人ひとり違う人生を歩む人間として、肯定的な関心を持って、親御さんには子どもと向き合ってほしいと願っています。

コラム　不登校あるある川柳②

不登校あるある川柳には、不登校の親を経験したからこその想いがたくさん詰まっています。子どもの不登校を通して、親もさまざまなことを学び、成長しているのです。我が子を見ながら感じた思いを、共有していきましょう。

捨てました　こうでなければ　親の見栄

こだわりや見栄がなくなると、子どもの良さが見えてきます。

動き出す　その日を信じて　親修行

心の疼きは片隅に持ちつつも、普通の暮らしを日々心がけています。

まぁいいか　ありのままを　受け入れて

家に居て、ＰＣの知識は豊富だしお菓子作りもうまくなったし、まあいいか。

出来ること　行けるところに　ぼちぼちと

心身が安定しエネルギーが溜まると、自然と動き出せるようになります。

さりげなく　寄り添う心　ありがたい

不安なときだからこそ、気持ちをわかってくれる支援者の存在は大きな支えです。

どの人も　歩んだ道に　無駄はない

不登校のあいだの豊富な経験が進路選択に生きてくるのです。

第5章

今だから言えること

第5章

今だから言えること

不登校経験から得た学び

エネルギーを回復した子どもは、始動期のリハビリの時期を経て活動期へ入っていきます。

活動期へ入ると、

- 家の外にも自分の居場所が見つかる
- 好きなことや興味関心を通して人間関係が生まれる
- 自分なりの今後の目標を持つようになる

などの状況が見られます。

一方、活動期にも落ち込むことがありますが、落ち込みの期間が短くなって、浮上するのが早くなります。

活動期になった不登校経験者によると、

●自分のペースがわかるようになった
●こころのマネージメントができるようになった
●大学で学びたいことが見つかった
●自分のやりたい仕事を見つけられた

と言っています。

また、

●人生は順風満帆な時ばっかりじゃないと体感できた
●社会的弱者に目を向けるようになった
●ネットの中の色んな人を見て、反面教師になったり、好ましい大人のモデルを見つけられた
●自分にとって必要な時間だった
●困った時や弱った時にSOSを出して助けてもらった経験があるから、危機的状態

を察知して人に相談できる
●自分の経験から、困っている人に気づいてサポートできる
などとも言っています。

このように多くの経験者が不登校の時期を肯定的に捉え、自分の生き方にその経験を活かしています。不登校は停滞ではなく、もう1つの成長の在り方です。不安も大きいと思いますが、親や周囲の大人は子どもが育つ力を信じて見守り、寄り添ったサポートをしてあげてほしいと思います。

子どもが不登校だった頃の自分へ伝えたいこと

かつて不登校の我が子を抱え悩んでいた親たちも、子どもたちが成人した今、このように振り返っています。

小学生の息子たちがほぼ同時期に学校に行けなくなったとき、本当に途方に暮れていた。初期から専門のドクターやカウンセラー、親の会にも出会うことができ、周囲にも比較的理解されていたので恵まれた環境だったとは思うのだが、きょうだい2人が同時に不登校になっていたので、誰かに言われなくても、「私の育て方のせいだ」と自分を責める気持ちがぬぐい切れず、それが私を一番苦しめていたと思う。

不登校が長くなり、それ自体を認めることはできるようになっても、自分自身を責める気持ちは心の中でずっとくすぶり続けていた。だいぶ時間が経ってからだが、私の子育てでよくないところももちろんあったのだろうが、それでも全てが悪かったわけではないことに気づくことができた。たしかに子どもたちは学校には行ってないけれど、人間としては優しいよい子だし、家族仲良く暮らせている。それで十分幸せではないかなと思えるようになったとき、やっと子どもを丸ごと受け止められるような気がした。「不登校はだれのせいでもないし、お母さんのせいではない。不登校でも不幸ではない、それで気づくことができる幸せもあるよ」と伝えたい。

とにかく、行かない時はどんなことをしても行かない。たとえ無理やり連れて行って登校できたとしても、心は置いてきぼり。脱け殻が教室で座っているにすぎない。一日うつむいて座っているだけ、あるいは平気そうに演じてるだけ。登校することだけにこだわっても、そんな過ごし方だったら何の意味もない。どうせ行かないなら、行ってもつらいだけなら、もっと快く休ませてあげて、家で自由に過ごせるようにしてやればよかった。今ならそう思う。でも当時は、本人のために行かさなければと思っていた。世間体も気にしていた。きょうだいが学校へ通っていたから、そちらにも気をつかって、一方だけを自由に休ませてやるということが難しかった。子どもへの対応で後悔や反省はいくらでもあるが、当時は仕方がなかった。私だって、初めての経験でどうしたらいいのかわからなかったし、学校へ行かないという人生など想像もできなかった。混乱して苦しかった。子どもには申し訳ないけれど、「親は親で、苦しいね、つらいね、それでもよくがんばってるよ」と伝えたい。「大丈夫、大抵のことは何とかなるよ」と。

不登校の初めの頃、父親（夫）には黙っておこう、気づかれないようにしようなんて、変な母と娘だったと思う。それは「よい○○でなければ」という呪縛にがんじがらめになっていたからかもしれない。「一人ひとり違うその子の育ちなんだ、その子の人生なのだから親の思うようには育たないし、そうさせようとすることとは違うんだ」と今は思う。子どもが失敗することを恐れてレールを敷くようなことをやっていたが、それは子どもを一人の人間として尊重していることにならない、と気づかされた。娘が不登校になったことから時間はかかったけれど、私の中にストンと落ちたのだと思う。親もダメなところもあると自分をさらけ出してから、とっても気が楽になった。

子どもが学校に行けなくなったとき、目の前の子どもには学校に行っている子より足りないものがあるとか、弱さがあるとか、否定的な部分ばかり目について、

「何とかしなければ」ともがき苦しんだ。周囲からは「信じて見守りましょう」「寄り添いましょう」とよく言われた。だけど、私自身もしんどくて、それができない私はダメな親だと落ち込んだ。

でもしばらくして「学校には行っていないけれど、ほかに何か問題があるの？」という思いに変わっていった。そうなったのは、親の会に出会い、先を行く方々の話を聴き、同じような仲間がたくさんいるとわかってきたから。それからは何かをしなくてはという意識がなくなり、「学校に行っていない子と暮らす」という視点に変わっていった。もちろん浮き沈みも多かったけれど、そのたびに仲間に支えられた。あの頃の自分にかけたい言葉は、「不登校でも子は育つ」。子どもが必要とする支援をしながら暮らしていけば、その子なりにきっと歩み出すよ。

不登校初期の頃は、よその子と比べてどうして普通に学校に行けないのだと嘆いていた。でも、時間が経つにつれてよその子と比べる必要もなくなり、家でじっくり子どもとつきあい、見つめる時間ができ、他人との比較ではなく、本人の長所や個性、その成長に気づくことができるようになった。それによって子どもも本人の意思を尊重できるようにもなったし、長い時間を一緒に過ごすことで親子間のストレスもあったけれど、密なコミュニケーションが取れて、相互理解も深まっていった。今から思うと、この時間は子育ての一番大切な時で、かけがえのない時間だったと思う。そしてこういう時間を過ごした結果、たいした根拠はなかったが、この子はなんとかやっていけるだろうと、信じて見守れるようになっていった。この経験がなければ、私は今よりもっと視野の狭い、不寛容な大人として生きていたと思うので、親も一緒に育ててもらったと思っている。

幼い頃から私にとっては難しい子だったが、問題行動が起こってないのでどこにも相談できず、一抹の不安をかかえながら学童期を送っていた。中学生になって学校に行けなくなったとき、ＳＯＳを出してくれたことに少し安心した。あちこちの相談機関に連絡しては出向いて行き、自分自身を見直すことができた。難しい子ではなく、私が難しくしていたこと、自分の育ちを見直すことで子どもに寄り添い、味方になることで子どもは少しずつ解れていった。そして、小さい自信を積み上げながら成長してゆく子どもと共に歩めたことに感謝している。親には親の不安、子どもには本人の不安があり、それぞれに解決する方法を模索した幸せな時間であったと思う。

おそらく不登校を経験していなかったら、私はもっと傲慢であり、子どもに対しては過干渉、支配的、指示的、批判的な親になっていたと思う。私は子どもが幼い頃、愛情の裏返しとはいえ、子どもに対する過度の期待や、こうあるべきという価値観の押しつけをしていた。そんな私が子どもの不登校に直面し、何をしても学校へ行かないとなったとき、焦りや怒り、絶望を感じる一方で、「この世には思うようにいかないこともある。自分の力の及ばないことがある」という、今思えば当たり前のことを痛感したのである。その後、子どもと向き合う生活の中で、子どもの人生は子どものものであり、親とは別人格なのだということを実感していった。子どもの考えや希望を尊重し認める、そしてその歩みを信じて見守るということが少しはできる親になったと思う。

子どもが学校に行けなくなったとき、学校の状況にも原因があると思いつつ、それでも子ども自身や私の子育ての問題が大きく、自分の力で何とかしなければともがいていた。本を読んでも、子どもへの対応で克服できるというような意見が多く、自分を追い詰めていた。そんな中、子どもをとにかく動かしたくて支援機関につなごうとしたとき、「それを子どもさんが、『今』やりたいと言っていますか？」と聞かれて気がついた。子どもは子どもの人生を歩んでいるし、学校に行けないという状況は、さまざまな要因が積み重なって起こっている。親が何かをすれば、何とかなるというものではない。特に思春期と重なる時期は、親の下心が邪魔になることすらあるのだ。それ以降は、心配で口を出してしまうことは多々ありながらも「今は修行」と自分に言い聞かせ、必要かなと思う情報を伝えていた。すると、子ども自身が自分の状況に合わせて選択し、タイミングが合えば動く。そういうことを積み重ねている内に、気がついたら次のステップに進んでいた。今やっと、「子どもを信じる」ということがわかってきた未熟な親だけれど、それでも何とかなってきたのは、多くの方に支えてもらったおかげだと感謝している。

スペシャルインタビュー〜不登校を経験し、社会に出た若者たち〜

今、不登校の渦中にあって、将来の不安を抱えている方も多いと思います。この先、どう進んでいけばよいのかわからなくて悩んでいることでしょう。そんな人たちに、少しでもこれから先の希望になればと思い、過去に悩んだり苦しんだり、つまずいたり立ち止まったりした経験があって、現在社会に出て働いていらっしゃる三名の方に話を伺いました。

Q．今の仕事と不登校になってからこれまでを簡単に紹介してください。

T　今は臨床心理士として、幼稚園や保育園を巡回して発達相談をやっています。中高一貫校に行っていて、中3ぐらいからちょっと調子が悪くなって教室に入れないときがありました。本当に学校行くのもしんどくなったのは、高校1年生の夏休み明けでした。留年してもう一度高1から通学しましたが、やっぱり身体症状が出て行けなくなって学校をやめました。個人塾に通って高卒認定を取り、大学、大学院と進んで臨床心理士の資格を取りました。よろしくお願いします。

S A市の会社で事務職員として主に経理や総務の業務をしております。

小2のとき、ちょっと行けなくなった時期がありましたが、その後中学卒業まで楽しく学校に行ってました。進学と部活に力を入れている公立高校に入ったのですが、全く自分の時間がないような生活と、体育会的な校風に馴染めず、入学してまもなく行けなくなりました。その後、通信制高校に入り、大学に行き、大学院を卒業して今の会社に就職しました。よろしくお願いします。

I B市の心療内科のデイケアのスタッフとして働いています。公認心理師の資格を取ろうと勉強しているところです。

中2のとき、あることがきっかけで担任からつらく当たられるようになり、教室に入るのが苦しくなりました。やっとのことで中学は卒業したのですが、全日制高校に入学してGW明けくらいから行けなくなりました。翌年4月、通信制高校に入って4年生の時大学受験したんですが落ちて、家から離れた予備校に通うため一人暮らしすることになりました。しかし、1か月くらいで予備校の授業に出られなくなり、その後2年間、一人暮らしの部屋にひきこもりました。3年目から先生が1対1の授業をしてくれるようになり、徐々に外に出られるようになって、5年目で大学に入り、大学院へと進んで今に至ります。よろしくお願いします。

Q. 学校に行けなくなった時はどんな状態になっていましたか？

身体症状が出ていても無理に行こうと

T　私は、手が震えたり、声が出なくなったり、足が動かなくなったりとか結構激しい身体症状が出てました。でも、自分は学校に行くのが当たり前って思っていたので、体に症状が出ていても「行く！」って意地でも行ってましたね。親は明らかに体が動いてないのに、車椅子を使ってでも「行く！」と言い張る自分に困ってたと思います。

ただ心療内科に行ったときに、先生から「その状態は黄色信号だから休まないとだめ」と言われてやっとハッと気づきました。そういうきっかけが無かったら、ずっと「行く！」って言い張ってたと思うんですよ。そして、私が気づけたことで親もためらうことなく「休んどき」と言ってくれるようになったと思うんです。当時はすごく学校にこだわって、家族も巻き込んで毎日送り迎えとか頼んでいたので、今から思うとそれは申し訳なかったと思いますね。結構振り回してたなと。

心身の容量オーバーで不登校に

S 入学してから多分1週間も通ってないと思うんですけど、勉強にも部活にもすごい厳しい学校でして、朝早く学校へ行って、夜遅くまで部活して、その後家でも勉強しないといけないみたいな…。「体力的にこれはもう無理だな」と。早々に行かなくなった感じです。自分の心身の容量を超えてしまった感じがしました。

先生との関係の悪化がきっかけ

――僕の場合は、中3の時の担任の先生と合わなくて。学校へ行こうとすると腹痛が起こるようになり、それでもなんとか学校には通って、とりあえず中学は卒業できました。高校に進みましたが、しばらくして学校へ行こうとするとやはりお腹が痛くなって行けなくなりました。

福本　Iさんにお聞きしたいのですが、「うちの子が明日は行くって言うのに、その日になったらやっぱり行けないって嘘ばっかり言うんです」と言う親御さんがいます。それは前の晩は思考では「行こう」と思ってるけど、登校時間が近づいて行こうと思うと生理的に何か影響が出る状態だと思います。しんどいときのことを思い出して、どんな感じで「今日は無理」となるのか、わかる範囲で教えてください。

――振り返ってみると、前の晩に「明日は行く」って言ってるときは、行きたい気持ちと行きたくない気持ちが同居してる感じですかね。「行く」と言わないと親が怒るし心配かけるし。「もしかしたら明日気分が変わって行くかもしれない」という淡い希望もあったりして。でも、登校時間が近づいてくると、教室に入る事に対する恐怖とか圧迫感があって、だんだん自信が削られていくんですよ。結局行こうと思った時間に行けないけど、「行かないといけない」って気持ちは消えてないので、何度も「行けるかな？　行けないかな？」って家で繰り返して、日によって踏ん切りがつく時間が違ったりします。

福本　その踏ん切りがつくかつかないかというせめぎ合いのとき、体はどんな感じでしょう？

—　僕の場合、お腹が痛くて行けないことが多かったので、「学校に行って教室に入ったらお腹痛くなるんじゃないか」と心配で、何度も部屋とトイレを往復してました。家にいても、周囲の目とか学校行かなあかんって気持ちとか、色んなものに圧迫されてる感じでした。

福本　赤沼侃史さんという小児科医の本の中に、トラウマが反応している状態というのは、不登校の子どもの心の状態と同じだと書いてありました。恐怖や嫌悪を感じている脳の状態だそうです。Ｉさんの話に「恐怖」って言葉が出てきましたね。
親御さんや先生には、子どもの状態をなかなかわかってもらえないことがあります。がんばれば何とかなるって思われていて、お父さんは特に男の子に対して、こんなことでは社会に出られないと心配されるんですが、そういう問題ではないんですよね。

Ｑ．不登校のしんどいときに、親の対応でよかったこと、嫌だったことは？

Ｔ　そっとしておいてほしい
しんどくて横になってるときに、そっとしといてくれたのがよかったですね。エネルギーが回復してきたら「あれしたい、これしたい」と言ったり、思い立ったときに買い物に連れて行ってもらったり、手芸の刺繍とか塗り絵とかを始めたり。「自分はまたがんばれるんだな」「案外やれるんだな」と自分を見る視点が変わったり、可能性が少しずつ広がったりというのがプラスでした。そこをさりげなく親がサポートしてくれたのが嬉しかったですね。

日常的な会話ができるくらいがちょうどよい

S 最初は「行きなさい」とうるさく言われたんですけど、それがあまり効果がないのと、行政に相談に行ったら「あまり説教したりしても意味がないですよ」と言われたらしく、次第になくなりました。その後は挨拶とか、普通に日常生活の会話したりしてました。若干よそよそしくはなりましたけどね。エネルギーが足りてないときに何か言っても意味がないです。

エネルギーが回復してきたら、学校以外の人に関わる機会があるといいですね。ただ考えや気持ちを整理する期間が必要だと思うので、ひきこもる時間もある程度は必要かなと思ったりもします。

治療よりも家でゆっくり休みたい

――うちの親は結構先回りするほうでした。内科や心療内科とか、漢方薬を処方してもらうなど色々行ったんですけど、自分が行きたいわけじゃなくて、親が学校行かせたくて行ってたと思うんです。学校に行けない自分にお金使わせてるというのが嫌で、お金を使われるほど気分が沈んでしまったので、家でゆっくり休ませてほしかったかなと思います。何回も続くとだんだんエネルギーが減って、どこ行ってもダメだなと絶望感に打ちひしがれていました。

回復していくには学校のことに縛られない時間、考えない時間が大切だと思っています。親からは積極的には関わってこないけど、見守ってはくれてるという接し方をしてほしかったなと思っています。かといって、あまり関わりがないと大切に思われてない感じがして、すごく不安になると思うんです。それでなくとも自尊心がだいぶ下がってますので。

親子ともに「なんで学校に行けないんだろう？」ってところから離れることができ

たときに、やっと気持ちが休めるんじゃないかと思います。

Q.通信制高校に行ったり高卒認定を受けたりしていますが、学校や塾に入ってみてどうでしたか?

先生との信頼関係が支えに

T 私の場合は個別の塾が勉強面・メンタル面で支えになっていて、自分にとってはそこが学校の代わりだったのかなと思います。その塾はしんどくなる前から行っていて、先生方との付き合いも約3年と長かったので、先生との信頼関係もあって話しやすかったですね。まだしんどい状態だったときは、あえてあまり勉強のことは言わず、私が「勉強しようかな」と言ったときにだけ、「じゃあ一緒にちょっとやってみようか」と言ってくれました。私が興味を持ちそうな本を紹介してくれたりもしました。休むときもありましたが、「待ってるからね」とさらっと受け止めて待っててくれるのがよかったですね。

徐々に自分のペースで通学に慣れる

S　僕は、親の提案する通信制高校へ編入しました。それまではしばらく社会から遮断された生活をしていて、やることがないのでずっとワイドショー見てたり、中学のときは部活で忙しくてやりたくてもできなかったゲームを今のうちにやっとこうと思ってやってました。そして、不登校になった年の冬ぐらいに、中学のときにしていた野球を高校でまたできたらいいなと思って。それで進学したいという思いも出てきて、中学のときに使ってた教科書とか引っ張りだしてきて復習したりしてました。

その通信制高校には3年間在籍してたのですが、最初の1年半は「自宅学習コース」に入って、レポート学習を中心にやってました。それとは別に、大学受験向けの通信教育があって受講しました。あとは多少体力づくりしようと思って、外でランニングしたりして過ごしていました。ただ社会的な人とのつながりはあんまりなく、通信制高校の年1回のスクーリングぐらいで、社会的にはひきこもりって感じなのかなと思います。

残りの1年半は「通学コース」でした。最初の方は結構サボってましたけど、そんなに厳しくなかったので遅れて行ったりしていました。最終的には週5、6日、朝から登校して夕方4時、5時ぐらいまでいました。部活や勉強が厳しくなくて、出席していれば何とかなったので行けたのだと思います。

仲の良い友だちとマイペースに過ごす

― 僕の場合は、高校1年生の10月ぐらいに全日制を退学して、翌年の4月に通信制高校に入りました。運良く中学で仲が良かった人も同じ学校で、1、2年生の時は、レポート、スクーリングがあるぐらいでそれ以外は暇だったので、その友だちとゲームセンターに行って過ごしてました。

レポートやスクーリングは、家で自分一人でモチベーションを保ってこなすのが難しかったですね。それなりに大変だった気がします。友だちがいなかったら行けなくなってたかもしれません。仲が良い人がいるというのは全然違うと思いますね。

3年生ぐらいから近くの川で釣りを始めて、ほぼ毎日のように行ってました。友だちと一緒に行く日もあれば一人でいく日もありました。釣りしてるときはじーっとしてるから、色々考えるのですが考えは流れていくので、今思うと座禅みたいな感じでしたね。

福本 釣りを通じて、エネルギーが回復していったんでしょうね。

Q. みなさんは高校を卒業した後に大学や大学院にも進学していますが、入ってからしんどいときはどんな工夫をしましたか？

T 自分と上手に付き合う

大学に入って、最初は手が震えたりして親も心配してたんですけど、身体症状が出ても休んだら治ると自分でもわかってたので、自分でコントロールできるようになっていました。自分とうまく付き合えるようになったので、知らないうちに通えていた感じでした。専攻の人数が少なかったし、同じ科目を取るので自然と顔合わせて話すことが多かったので、すぐに友だちができて気づいたら普通に通えてました。

大学院でも仲間に恵まれて、割とスムーズに行けたと思います。大学院で色んな人に出会えて、不登校があまり影響しない世界なんだなと思いました。大学のときはまだ「自分が不登校だったことはどう見られるのか」などと思ってたのですが、大学院に行くようになってから、だいぶそういう気持ちが薄れてきた気はしました。

大学、大学院で体調不良に悩みながらも卒業

T 1年生の6月か7月ぐらいから体調が悪くてあまり通えなくなって、単位も結構落としました。家にいる状態がまた戻ってきた感じでしたね。
自分が不登校だったのと、変わった高校へ行ってたのと、二重にコンプレックスもありました。そして、一人暮らしも初めてでしたし、講義も1時間半座って何コマも受けるというのは今まで無かったし、何か1つというよりはそういうコンプレックスや環境の変化など、いくつかの要因が重なって行くのがしんどくなったというところです。大学を続けるかどうか迷ったのですが、大学職員の人との面談や親とも話して

続けることにしました。学費もかかりますので4年で卒業した方がいいと思い、残り3年半でどうやって単位を取っていくかを考えました。そこで、1年の後期から必修科目と試験を受ければ単位をもらえる科目に絞りました。当時は体調があまりすぐれず、1日4コマも出るのはしんどかったので、最初の1週間と最後の授業で試験範囲を教えてくれる授業だけ出席して、試験を受けて単位を取るようにしました。また、当時は学生が授業の内容を書き留めた講義ノートが売られていたので、そのノートと先生の最後の授業を元に試験の内容をまとめて、直前に対策をとったりしてましたね。体調よくない中でギリギリの単位を取って卒業した感じです。

大学院でも、進学したばかりのときは体調があまり良くなかったのもあって、また単位を落としたんです。その当時、講義でずっと座っていると腰や首が痛くなる症状が出てました。しかし、たまたま見つけた本の治療法を試したら、体調は良くなったので1回生の後期からは徐々に授業に出られるようになりました。余裕が出てくると、NPOのピアサポートの活動に行ったり、別の自助グループに顔出したりして、そういうところで大学院以外とも人との関わりができました。

福本　そういう自助グループなどに行こうと思われたきっかけは？

S　精神科医の斎藤環さんの本の中で、「人薬（ひとぐすり）」って考え方があるんですよ。いきなりアルバイトや仕事したり授業に出るよりも、人の中にいることに慣れていこうということで、自助グループの中で人と話したり、共同で活動することに慣れていこうって思ったんです。今までエネルギーがスカスカだったのが、人といることで補給されていった感じです。

福本　その自助グループはどういうふうに選んだのですか？

S　公的機関の裏付けがあるところや毎回通うことを強制されないところ、嫌になったら行かなくてもいいところに、実際に行って雰囲気が合うかどうか見てみたんです。あとは非常に高いお金を要求されないところとか、自分がひきこもりがちだったので、おとなしい感じの雰囲気のところとか、これをやれというノルマが要求されないところとかですね。

ひきこもった予備校時代、先生のサポートで進学

――僕は生物が好きだったのと、魚釣りをしてたこともあって、魚の研究がしたいなと思っていました。そして、通信制の4年生のときに大学の生物学科を受けたのですが落ちてしまいました。当時家から通えるところに予備校が無かったので、引っ越して一人暮らしをして予備校に通い始めました。予備校はほとんど毎日授業があったのでエネルギーが持たなくなってきて、GW越したら行けなくなって、ほぼ家でネットゲームしてるときが多かったです。

予備校の2年目の終わりぐらいに、母親から不登校になったいきさつを聞きました。それまでは自分ががんばれなかっただけと思っていたのですが、それだけじゃないんだとわかったので、気持ちが楽になりました。そして、3年目から先生が、国語・数学・英語の3つを週に2~3回、みんなが行ってない時間に1対1の授業を始めてくれま

した。でも、1対1でもやはり行けたり行けなかったりしてました。行く前になると食べなくてもトイレに行って何度も吐くようになって、ギリギリになるまで続くんです。踏ん切りがつくときもありますけど、最初のころは10分くらい前になって「やっぱりちょっと無理そうです」と電話してましたね。

先生は、「また今度でいいよ」というふうに言ってくれました。本来、予備校では大学に受からせないといけない雰囲気が強いと思うんですけど、そうではなく、「来週にしようか」「しんどくなかったらまたやろうか」というように待っていてくれる感じでした。それから、3年目から4年目にかけて3回に1回しか行けなかったのが2回に1回になって、5年目からは毎週行けるようになり、時間はかかったのですがだんだんと行けるようになりました。予備校の先生のサポートがあったからです。

僕はサッカーが好きなので、先生とよく地元のサッカークラブの話をしてたんです。僕がサッカー好きなのを他の生徒にも伝えていたらしくて、「Iさんサッカー好きなんですか?」と話しかけてもらったこともありました。その頃は、人に話しかけられると背筋がゾゾっとするぐらい人と話すのが怖い時期でしたけれども、緊張しながらも返してました。先生も一緒にサッカーを見に行ってくれたこともありました。

福本 大学はどうでしたか？

― 予備校5年目に京都の大学に受かりました。その時26だったかな。大学に行っても、やっぱり学校に行く前に吐くのが続いていて、結局1回生の前期、夏休み入る前ぐらいまで続いてました。背水の陣というか、吐きながらも授業には行ってました。夏休み明けてからは回数が減ったかな。

このままじっとしていたら多分友だちができないと思って、背筋がゾゾっとする感じもあったんですけど、自分から優しそうな人にガンガン話しかけていきました。友だちができるとだんだん行きやすくなりましたので、やはり話しかけてよかったですね。勉強面では、結構ついていくのが大変でした。

福本 でも、主席で卒業されたんですよね。

I　この年齢で大学に行かせてもらっているので、とにかく必死で勉強しました。頭に入らなくても授業は毎回出て、一生懸命ノート取って、必死で駆け抜けたかなと思いますね。予習復習はあんまりしてなかったです。とにかく授業時間中は必死で、帰ってから勉強できる体力は残ってなかったですね。勉強したのは試験前ぐらいです。

Q. 学生相談室は利用していましたか？

継続的にカウンセリングを

S　大学4年生の時と大学院に入ってからも継続的に学校のカウンセリングは受けてました。学校のことや進路で悩んでることなど、ある程度話題を決めていました。同じ方に継続的に相談に乗ってもらえるのは有難かったと思います。自助グループではもう少し違う相談しようとか、人によって内容を決めてましたので、何もかも一人に相談するってことはなかったです。

就活のときは、大学のキャリアセンターや、自治体のハローワークとかに行っていました。中でも市が運営するジョブパークが相談しやすかったですね。

大学のキャリアセンターは就職に責任があるので、教えてくれることに熱心でしたが、自分が動ける速度に則してなかったりしました。でも、求人情報はいっぱいあるのでキャリアセンターにそれを教えてもらって、どういう対策をするかは、こちらのペースに合わせてくれるジョブパークのカウンセラーさんに聞くというように使い分けてました。

カウンセラーとの相性を見極めて

――僕は、大学2回生の時に一度学生相談室に行きました。そのときはカウンセラーの先生と合わない感じで、1回で行かなくなりました。しかし、3回生の時に自分も人との接し方に問題があるのかなと思うことがあって、また通い始めました。その時は別のカウンセラーの先生で、その先生とは結構合ってると感じました。5年ぐらいお世話になりました。

カウンセリングの中で不登校の経験を話してるうちに、「あの時まだがんばれてなかったんじゃないか」「普通に行ってたらどうなってたのか」というような悔いがあったんですけど、少しずつ薄れていって、先生に話すことでプラスの面も見られるようになったと思います。

Q. 今の仕事をしていて自分の経験が活かせていることはありますか?

いつしか遠い記憶へ

T ごめんなさい、正直無いかな…。むしろ新しいことをどんどん色んな人から教えてもらいながら、仕事をしてる感じです。

最近、不登校だったときのことをあんまり考えなくなって。しんどかったことがあったのは事実なんですけど、記憶が薄れてきてるんです。…乗り越えたことになるのかなと。

福本 「いつの間にか乗り越えたかな」「この頃考えなくなったなあ」という感じなんですね。一生心の傷が残るんじゃないかと、心配する親御さんもいますが、「ああ、忘れてるのか」ってほっとされると思います。

学校と社会の違いを実感

S 仕事していると不登校の問題が全部解決するわけじゃないですけど、社会に出るとほかにいっぱい問題が出てきますよね。仕事だったりお金だったり、家族や健康とか諸々あると思うので、不登校の問題は相対的に小さくなりますね。社会に出てみて、自分の持ってるエネルギーがどれくらいで、体力仕事が得意、事務仕事が得意、人と話すのが得意、みたいに色んなエネルギーの発揮の仕方があって、そこが合わないと行き詰ってしまうことになると思ったんです。これまでずっと自分がどういう形でエネルギーを発揮できるか探してきましたし、これからも探していくと思います。不登校は、その試行錯誤の1つではあったかなと思いますね。

相手の立場を考えられるように

I：今のデイケアの仕事上、利用者さんがどう考えてどう動いてるのかを見ないといけないんですけど、不登校だった頃に人にどう思われてるか気にしていたので、相手の身になって考えられるようになったと思います。利用者さんが、今しんどいんだなというのが伝わってきたら声かけしたり…。相手がどう考えてるか、自分の言葉がどう思われてるかをすごい考えるので、経験が活かせてるかなと思います。

あとは、同じ不登校でも自分の経験をそのまま当てはめずに、できるだけその人がどう体験しているか、というのを考えながら接することを意識しています。

Q：今の生活の中で、落ち込むこともあると思います。今どのようにマネジメントをしてるかなどを聞かせてください。

調子が悪い時は無理せず休む

T：自分はストレスが溜まると体に出るタイプというのはわかったので、ちょっとでも調子が悪いときは開き直って休むようにしました。前と比べてあまり休むことに罪悪感がなくなりましたね。今、家族がいるので、お互いに仕事の愚痴とかを言い合ってスッキリしたり。

自分にできることを少しずつ

S 最近は、学生時代に比べるとそこまで大きく沈むことはないかなと。いい意味で自分に期待しなくなったというか、とりあえず仕事ができてお金を稼げていたらそれでいいというように。学生時代は営業になって物を売るとか、ものを作るとか、教員になるみたいに、自分がプレイヤーとなって働くことに興味があったのですが、実際に事務方になってみると、自分が表舞台に立たなくても裏方として会社などを支える仕事が合ってるような気もするし、おもしろみもわかってくるような感じもしました。

不登校経験のプラスの面に目を向ける

ー 今でも「不登校を経験していなかったらどうなってたかな」と考えることもあります。そうなると、今とは全く別の人生になっていたから出会えなかった人もいるので、そのことを考えるとちょっとプラスの面も見つかったりします。何回も考えて積み重ねてるうちに、1％、2％とプラスの割合が増えていく感じはあります。それがしんどくなったときの立ち直りの速さにつながってるのかなと思ったりします。

学生相談室でも大学院での授業でも、人との出会いで気づかされることが結構多いです。不登校を経験したからこそ人の痛みがわかるようになり、経験したからこそできることを見つけていくのが、回復力につながると思いますね。

Q. 今の自分から一番しんどいときの不登校の自分に声をかけるとしたら、どういうことを言ってあげたいですか？

色々な経験をしてみてほしい

T 「何とかなるよ」というのが大きいです。そして、「せっかく不登校になったんだから、やりたいと思ったことを色々やってみたら？」と思います。エネルギーがないときはゆっくり休めばいいけど、ずっとこもって自分だけの世界になると、視野が狭くなって人生終わりだと考えが狭くなると思うんです。ゲームもそれが居場所や支えになったりするので必要だとは思います。ただ、そこにずっと居つづけるのもどうかなって。

福本 そうですね。だんだんとゲームの中で人とつながれる、ほかに欲しいゲームがあるから買いに行くなど、動きが出てくるといいのかなと思います。

ありのままを受け入れる

S 僕は、無理に全部を前向きに捉えなくてもいいと思っているんです。不登校になったら、色んなことが遅れるじゃないですか。ネガティブなことって履歴書にも残りますし。空白の期間とか不利なものは不利ですよね。それはそれで受け止めるしかないなと思っていて。マイナスといっても絶対リカバリーできない程ではないと思うので、その上でできることをやっていくしかないのかなと思います。

それから「このやり方で絶対社会復帰するんだ」と肩肘はりすぎてお金なり労力なり投入しすぎると、それでうまくいかなかったときにしんどくなります。かといって放置もいけないので、6~7割ぐらいの力で継続していくのが大事かと思います。それと、失敗することもあると思って、あまり無理しすぎないのがいいかなと思いますね。

地方によって支援が充実してるところもあれば、そうでないところもあるし、県外の相談とかも利用して、自分に合う相談先を見つけるといいですね。

今の世界は社会のほんの一部

──「学校が全部じゃないよ、身近にいる厳しい大人が全部じゃない、社会の一部だよ」という感じですね。僕は真面目だったから全部言うこと聞かないといけないと思ってたし、自分の人生でも視野が狭くなってたと思います。それと、ほかの同世代と比べないで、「ほかの人にとっては小さく当たり前のことでも自分にとっては大きな１歩だった」と前の自分と比べること。できてないことがいっぱいあって、そこに目が向きがちですが、「学校に行けなかったけど今日は自分でご飯を炊けた」とかなるべくできたことにも目を向けるようにしていくことですね。

福本　ありがとうございました。今の自分がどんなふうに暮らしているかで、過去の体験の捉え方がずいぶん違うと思います。みなさんが苦しい時を経て、いろんなサポートも受けながら回復し成長されて、お仕事や色んな活動をしている姿を見せていただきました。

座談会を終えて

３人の方の成長の陰には、多くの学校の先生や学校以外の大人の適切なサポートがあったことがうかがわれ、人間関係に傷ついた心が思いやりのある新たな人間関係で癒されていく様子がわかります。親の一生懸命さが子どもを追い詰めていくこともあるけれど、自分とは違う生き方をしている我が子を、何とかして理解し受け入れようと努力している親御さんの姿も見えてきました。

この場にはいませんが、どうしても学校に行きたいという本人の希望で、家でゆっくり休むことなく行き続けた経験者もいます。その若者は「真っ暗闇に陥って、先のことなんて何も考えられないとき、私に寄り添って理解してくれる親や先生や周りの大人がいました。その大人がこの子にとって一番居心地のいい場所はどこなのか、どんな環境だったらこの子は生き生きと活動できるのか、と考えてくれたからこそ今の私がいます」と言っていました。

〝学校に行けた〟ということに良し悪しはありません。学校へ行っている子も、行けない子も、自分自身の持っている資質、家族や学校といった個人の力では変えられない環境や資源の中で、精一杯生きて成長しようとするエネルギーがあります。この座談会から、大人の役目は子どもが本来持っているエネルギーを信じて見守っていくことなのだと、あらためて一層強く感じました。

第5章

今だから言えること

あとがき

「不登校でも子は育つ～母親たち10年の証明」を学びリンク社から発行していただいてからこれまでの７年間に、気候変動による災害、ネット、ゲーム、ＳＮＳの問題、格差の広がり、そして２０２０年コロナ禍による自粛生活、失業者の増加、ＤＶ、虐待、自殺者の急増など、社会は激しく変化しています。不登校に関しては平成29年「教育機会確保法」が施行され、教育の場として学校に限らず多様な場が認められるようになりましたが、経済的な裏付けのない中で、日々子どもと向き合う学校現場の教師や親の意識は急には変わりようもなく、貧困や格差の問題がコロナ禍の今、一層懸念されます。

筆者が若者だった１９７０年代（年齢がばれますね）から、親子のジェネレーションギャップは話題になっていましたが、特にネット・スマホが普及してからは、ますます大きくなっています。子どもたちの間でも、３年違えば意識が変わっています。例えばインスタグラムが始まった世代とそれ以前の世代ではより一層周囲の空気を読んで、人の顔色を見て暮らさなければならなくなっているように思います。そんな中で、学校はいまだに40人の生徒に一人の教師というシステムは変わりません。子どもの教育、医療、福祉の場で「人手が足りない」という悲鳴をしばしば耳にしています。

不登校の経験があるなしに関わらず、ネットやニュースなどでこの社会の矛盾を感じたり、非正規雇用が約4割という社会の中で理不尽な思いを経験する若者は多いと思います。「困っている人がいても知らん顔」「みんな自分のことで精いっぱい」「他人を蹴落としてでも、自分の欲望を優先するやつばかり」と人生に絶望し、「自分なんか生きる価値がない」と自己否定する若者に出会うと、小さいときから思いを聴いてもらえず人と比べられ、競争させられて成長してきた孤独な姿を思い胸が痛みます。

自らが否定する社会（学校）と同じ価値観や人間観を持ち、自己否定して苦しんでいる子どもや若者に出会うと、我が子が不登校になる以前の自分も、程度の差こそあれ同じような価値観ではなかったかと苦い思いで振り返ります。そして、人の幸福を目に見える形で決める風潮に、人間関係が希薄になり孤独になっていくのではないかと危惧しています。

幸福って何だろう？

子どもの不登校は「自分は何を幸福と思っているのか」「子どもにどんな大人になってもらいたいのか」と親に問いかけてきます。

神戸大学と同志社大学の共同研究（２０１８）によると、「神戸大学社会システムイノベーションセンターの西村和雄特命教授と同志社大学経済学研究科の八木匡教授は、国内２万人に対するアンケート調査の結果、所得、学歴よりも『自己決定』が幸福感に強い影響を与えていることを明らかにしました。」（神戸大学ＨＰより）とあります。

学校に行けなくなった子どもは、「今日は行けるか行けないか？」「先生の家庭訪問、どうしたい？」別室登校は？　修学旅行は？　発表会は？　…一つひとつ子どもの体と心に聞いていくことから始めなければならない状態です。しかし、子どもがエネルギーを充電し回復していくにつれて、子どもは「～したい」「～に行きたい」と自分で決めて外へ動くようになっていきました。親は、しんどくて動けなかった子どもが動くようになったことが嬉しいので、子どもが決めたことを喜び、できることは応援していきます。そんな関わりの中で、親子の関係が自然に互いの意思決定を尊重し合えるようになっていきました。そして、進路決定・就職・結婚といった人生の岐路に立ったとき、成長した子どもは人と比べたり、世間の評価ではなく「自分がやりたいから」「こんな人と関わりたいから」「こんな人（子どもたち）の役に立ちたい」など と内的な動機付けで決めていきます。

不登校の子どもを見守る中で何が「幸せ」なのか。何を「幸福」と感じるのか…。親が自分自身に問いかける機会も多々ありますが、その1つの答えが「自己決定」という研究結果に、不登校の子どもの成長を見守るヒントがあると思うのです。

好きなこと・やりたいことが大切な理由

子どもが学校に行けなくなると、親は「自分が行っていた学校」をイメージしますが、子どもが毎日過ごしている「教室」「部活」などの中で、どんなしんどさを感じているのか思いが至りません。

この本では、学校に行けないほどエネルギーがなくなってしまった子どもがどんなふうに回復し成長していくのか、18年間の臨床経験から書いています。しかし、不登校の経験のない大人の思考や常識では、理解できないことが多いと思います。「そんなに好きなことだけさせていて、我がままになってしまわないのか」「楽して怠けることを覚えないか」「ちゃんとした大人になれるのだろうか」…。そうした心配や焦りを、私を含めて多くの親たちが何度も経験しながら、子どもを見守ってきて今があるのです。

筆者は、不登校から回復していく過程を神経生理学的に説明できる本があればと思っていたところ、『ポリヴェーガル理論で実践する子ども支援——今日から保護者・教師・養護教諭・SCが取り組めること——』伊藤二三郎著（遠見書房発行）に出会いました。著者は、公認心理師・臨床発達心理士・自閉症スペクトラム支援士であり、学校教諭やスクールカウンセラーのご経験もある方です。不登校の子どもの自律神経の状態や、「安心・安全」な環境でゆっくり休息しなければならないことがよく分かります。

そして、もう1冊、有井悦子著『子どもは希望を拓いてゆく——ともに小児科医の手だてを』（かもがわ出版、現在品切れ入手不可）があります。不登校が今ほど世の中に認知されていなかった１９８０年代から困難を抱える子どもたちに寄り添って、親も子もサポートして来られた有井悦子小児科医の著作です。一人ひとりの子どもの回復過程、成長過程を見る温かいまなざしに深い共感を覚えるとともに、18年間の筆者の経験に医療的な裏付けとさらなる学びもいただきました。

語り合いの場で

コロナ禍の状況下で、♪あんだんて♪の親の会は感染防止につとめながら人数制限をして、小さな親の会を続けています。偶然、子どもの年齢が同じ親御さんばかりだったり、同じような悩みを持つ人が集まっていたり、同じ経験をしているスタッフがちょうど当番だったりと、何かの計らいかのようにお互いに資する出会いが生まれています。また、参加者同士の語らいが触媒になって心の中に化学反応が起こり、新しい発見や大きな気づきが起こることもあります。そんなとき私も嬉しく、同席する人の息遣いや言葉にならない心模様を感じながらその場に一緒にいる喜びがあります。

「親が変われば子どもは変わる」と言われますが、「子どもが変われば親が変わる」というのも事実です。一人の力では何もできなくても、「互いに成長を喜び合う人間関係の連鎖によって、子どもたちが自分らしく伸び伸びと生きていけるように社会が変わることもあるのではないか」「学校ももっと楽しく行けるところになっていくのではないか」と夢のような想像を膨らませて、この社会の片隅で親の会や個別カウンセリングを続けていこうと思っています。

遅筆の執筆を待って出版してくださった学びリンク社長山口教雄様、迷走する執筆過程に根気よくお付き合いくださった編集ご担当の渡辺美紗希様、たいへんお世話になり、有難うございました。

この本の作成にご協力いただいた不登校経験者の方がたやその親御さん、♪あんだんて♪スタッフにも多くのサポートをいただきました。心より感謝申し上げます。

２０２１年１月コロナ緊急事態宣言下の京都で

福本早穂

不登校からの進路選択

～自分の歩幅で社会とつながる～

2021年　5月24日　初版第1刷発行
2024年　3月　3日　第2刷発行

著　者　　親子支援ネットワーク♪あんだんて♪　福本 早穂

発行者　　山口 教雄

発行所　　学びリンク株式会社

〒101-0064　東京都千代田区神田猿楽町 2-1-14　A&X ビル 6F
電話　03-6260-5100　FAX　03-6260-5101
ホームページ　http://manabilink.co.jp/
ポータルサイト　https://www.stepup-school.net/

印刷・製本　株式会社　シナノパブリッシングプレス
表紙デザイン　南 如子
本文デザイン　南 如子

ISBN978-4-908555-41-1